LA BONNE CUISINE THAÏE

KEN HOM

LA BONNE CUISINE THAÏE

KEN HOM

Comment réussir les
meilleures recettes
de la cuisine thaïe
de tous les jours

ÉDITIONS FRANCE LOISIRS

Dédicace

Encore merci à Kurt et Penny Wachtveitl, à Norbert Kostner ainsi qu'à tout le personnel de l'Oriental Hotel de Bangkok.

Photographies : Jean Cazals

Titre de l'ouvrage original :
Foolproof Thai Cookery
publié par BBC Worldwide Ltd, Londres

Traduit de l'anglais par Christine Rimoldy

Direction éditoriale : Vivien Bowler
Éditeur de l'ouvrage : Sarah Lavelle
Secrétariat d'édition : Jane Middleton
Direction artistique : Lisa Pettibone
Intendance : Marie Ange Lapierre
Stylisme : Sue Rowlands
Direction de l'édition française : Ghislaine Bavoillot
Responsable de l'édition : Nathalie Démoulin
Suivi éditorial et adaptation typographique : Véronique Bergelin
Couverture : Axel Buret/Studio Flammarion
Lecture et corrections : Fabienne Gibouin

Les éditeurs souhaitent remercier Kara Kara, William Levene et Divertimenti pour le prêt des objets utilisés lors des prises de vue.

ISBN : 2-7441-5681-7
Numéro d'éditeur : 36928
Dépôt légal : février 2004
Imprimé et relié en Italie par L.E.G.O. spa
Photogravure : Kestrel Digital Colour, Chelmsford

Édition du Club France Loisirs, Paris
Avec l'autorisation des Éditions Flammarion

Éditions France Loisirs,
123, boulevard de Grenelle, Paris
www.franceloisirs.com

Table des matières

Introduction

Il y a des dizaines d'années que je me rends en Thaïlande ; j'ai appris à aimer les gens de ce pays, le pays lui-même, sa culture, et surtout sa fabuleuse et succulente cuisine. Je me rappelle la première fois que j'ai goûté un plat thaïlandais – c'était un véritable feu d'artifice d'épices et d'herbes combinées avec une subtilité inimaginable. Depuis, j'ai découvert avec délectation quantité de marchés colorés, de restaurants, et de cuisines de particuliers. Je suis toujours émerveillé par la capacité des cuisiniers thaïlandais à créer des plats sans cesse différents à partir des mêmes ingrédients.

J'ai eu la chance de travailler quelques années au célèbre Oriental Hotel de Bangkok. Grâce à Kurt Wachtveitl, directeur général par excellence , j'ai eu la possibilité d'étudier la cuisine thaïe aux côtés des plus grands maîtres contemporains de cette noble tradition. J'y ai appris les principes fondamentaux des techniques de cuisine, des ingrédients, des saveurs et des harmonies de la cuisine thaïe. J'ai suivi les cours de la fameuse Ecole de cuisine thaïlandaise, et travaillé avec, et sous l'égide de Norbert Kostner, chef cuisinier à l'Oriental Hotel. Norbert est marié avec une Thaïlandaise, parle couramment le thaïlandais, et, vivant en Thaïlande depuis des dizaines d'années, il s'est entièrement converti à la culture du pays. Mais c'est avant tout l'un des chefs de file les plus brillants de la cuisine thaïe. S'il possède une connaissance prodigieuse de toutes les traditions gastronomiques, c'est cette dernière qu'il préfère. Norbert a eu la gentillesse de me prendre sous son aile et de me faire partager sa connaissance et son adoration de la cuisine de son pays d'adoption.

L'expérience que j'ai acquise à l'Oriental Hotel n'a fait qu'accroître ma fascination pour cette cuisine, et m'apprit à aimer les surprenantes et délicieuses combinaisons de goûts et de textures qui caractérisent sa remarquable tradition. Depuis, que je cuisine chinois, français, ou, cas le plus fréquent, que je « mélange les genres », je fais un usage quotidien des saveurs thaïes. Je me suis en effet aperçu que tous les types de cuisine gagnaient à incorporer ces innombrables combinaisons.

Puissiez-vous trouver dans ce livre un guide pratique et convivial qui vous permette de vous familiariser avec une cuisine de plus en plus appréciée, et de découvrir, comme moi, à quel point elle est fabuleuse, rafraîchissante et facile à préparer.

> Je me rappelle la première fois que j'ai goûté un plat thaïlandais – c'était un véritable feu d'artifice d'épices et d'herbes combinées avec une subtilité inimaginable.

Ingrédients et matériel

LES INGRÉDIENTS

Il n'a fallu que quelques décennies à la cuisine thaïe, avec ses ingrédients exceptionnels, pour asseoir sa popularité auprès des particuliers et des chefs cuisiniers. Tant dans les foyers que dans les restaurants, ces ingrédients sont désormais considérés comme des matières premières indispensables – en raison, notamment, de l'importance qu'on attache à une nourriture diététique : la cuisine thaïe est légère et saine, car elle comporte très peu de lipides d'origine animale tels que beurre, crème ou fromage. De plus, les échanges internationaux étant aujourd'hui monnaie courante, quantité d'ingrédients thaïlandais considérés autrefois comme exotiques sont maintenant familiers et faciles à se procurer.

Enfin, l'ampleur de l'immigration thaïlandaise en Occident a favorisé la pollinisation croisée entre cette cuisine et celles d'autres cultures. Voici une brève description des ingrédients thaïlandais mentionnés dans ce livre.

Les aubergines

Il existe plusieurs variétés d'aubergines en Thaïlande – de celles qui ressemblent à de gros petits pois à celles qui sont longues, de couleur vert pâle. Les aubergines chinoises sont de jolis légumes à la robe violacée et de taille variable ; les plus petites, qui sont aussi plus fines, ont la préférence des Thaïs (et des Chinois) en raison de leur saveur plus subtile. Certaines se consomment crues, accompagnées d'une sauce.

Choisissez des aubergines à la peau lisse et brillante. En général, les cuisiniers thaïs ne pèlent pas les aubergines afin d'en conserver la consistance, le goût et la forme. Si vous utilisez de grosses aubergines, coupez-les en tranches, salez-les légèrement, laissez-les reposer 20 minutes, puis rincez-les et essuyez-les avec du papier absorbant. Faire ainsi dégorger les aubergines permet d'ôter leur amertume avant cuisson et de préserver le goût authentique du plat confectionné. Mélangées à d'autres ingrédients, les aubergines conservent toute leur saveur. Si l'on utilise des aubergines chinoises, il est inutile de les préparer ainsi.

Le basilic

Le basilic est utilisé dans la cuisine thaïe pour parfumer les salades, les currys et les plats sautés. Il existe trois sortes de basilic thaï ; le plus commun possède de petites feuilles vert foncé et une tige violacée. Extrêmement parfumé, son arôme est très proche de celui de l'anis. Le basilic thaï se trouve dans toutes les épiceries asiatiques, mais, le cas échéant, le basilic d'origine méditerranéenne fera un substitut correct.

Ci-dessus : trois variétés d'aubergines.

Les piments

Les piments sont les téguments des poivrons ; on peut se les procurer frais, séchés ou en poudre. Il en existe des centaines de variétés, plus ou moins forts . Si les Thaïs ont la réputation de faire un usage quasi illimité des piments, les néophytes doivent se montrer plus prudents. Cette saveur très forte est concentrée principalement dans les pépins. Les retirer permet donc de l'atténuer.

Les piments frais

Leur aspect doit être frais et brillant. Les petits piments thaïlandais verts ou rouges peuvent être extrêmement forts.

Pour préparer les piments frais, commencez par les rincer à l'eau froide, puis coupez-les en deux dans le sens de la longueur à l'aide d'un petit couteau pointu. Épépinez-les, rincez-les de nouveau à l'eau froide, puis préparez-les selon la recette choisie. Nettoyez le couteau et la planche à découper avant de préparer d'autres aliments et veillez à ne pas vous frotter les yeux avant d'avoir soigneusement lavé vos mains.

Les piments rouges séchés

Les piments rouges séchés employés en Thaïlande sont petits (1cm de longueur) et fins. On les utilise généralement entiers, ou coupés en deux dans le sens de la longueur en conservant les pépins, comme condiment permettant de relever l'huile des plats sautés, des sauces et des plats braisés. Ils se conservent indéfiniment dans un bocal bien fermé.

L'huile pimentée / La sauce pimentée

L'huile pimentée est utilisée partout en Asie du Sud-Est comme condiment pour les sauces et comme assaisonnement. Les huiles thaïlandaises et malaises sont particulièrement fortes, tandis que les versions taiwanaises et chinoises sont plus subtiles.

Il est préférable de confectionner ses propres huiles pimentées ; je vous indique donc une recette ci-dessous. N'oubliez pas que l'huile pimentée est trop forte pour servir seule d'huile de cuisson, il faut l'associer à des huiles plus douces.

Cette recette inclut du poivre et des haricots noirs pour permettre d'utiliser cette huile comme sauce d'accompagnement.

Dans le sens des aiguilles d'une montre en partant de la gauche : piments rouges séchés, piments rouges frais, huile pimentée.

15 cl d'huile d'arachide
2 cuillerées à soupe de piments rouges séchés hachés
1 cuillerée à soupe de grains de poivre du Sichuan
2 cuillerées à soupe de haricots noirs salés
Faites chauffer à feu fort un wok ou une grande poêle, mettez-y l'huile et tous les ingrédients. Faites cuire à feu doux pendant environ 10 minutes, puis retirez du feu et laissez refroidir. Versez le mélange dans un bocal, laissez reposer 2 jours, puis filtrez l'huile et stockez-la dans un bocal en verre hermétiquement fermé que vous placerez dans un endroit frais et sombre. L'huile s'y conservera indéfiniment.

La poudre de piment

Également connue sous le nom de « poivre de Cayenne », la poudre de piment, confectionnée à partir de piments rouges séchés, est extrêmement forte. C'est votre palais qui décidera du degré d'intensité supportable. Néanmoins, « utiliser avec modération » est le mot d'ordre pour les néophytes.

De gauche à droite : pois de Nouvelle-Guinée, coriandre, basilic thaï, chou chinois.

Le chou chinois

Ce légume délicieusement croquant présente des tailles variables, du spécimen long et dense au type court et large. La pomme du chou chinois est entourée de feuilles fermes, froissées et de couleur vert pâle. Utilisé dans les soupes et les viandes sautées, sa capacité à absorber les parfums, ainsi que son goût et sa consistance fort agréables, en font un des ingrédients favoris des cuisiniers, qui l'associent à des aliments riches. Le chou chinois se conserve comme un chou ordinaire.

Le lait de coco

Le lait de coco est abondamment utilisé en Thaïlande et dans toute l'Asie du Sud-Est. Il possède certaines caractéristiques propres au lait de vache : la crème qui recouvre sa surface après ébullition ; la nécessité de le remuer lorsqu'il parvient à ébullition ; enfin ses lipides qui sont plus proches de ceux d'origine animale que l'on trouve dans le beurre, que de ceux de la graisse végétale. Ces qualités font du lait de coco un ingrédient important et original de la cuisine thaïe.

Ce lait est le liquide que l'on exprime de la chair d'une noix de coco râpée, additionné d'eau. On l'utilise dans les currys, les ragoûts, et on le mélange avec les pâtes de curry pour les sauces. Le lait de coco est aussi une boisson rafraîchissante, et un ingrédient essentiel dans la préparation des desserts.

Il est possible d'acheter du lait de coco frais sur les marchés thaïlandais et dans certaines épiceries chinoises. On peut se procurer facilement, et à bon marché, du lait de coco en conserve dans les supermarchés ; il existe quantité de marques de qualité, surtout thaïlandaises et malaises. N'oubliez pas de secouer la conserve avant ouverture.

La coriandre

La coriandre fraîche, appelée « persil chinois » ressemble à du persil à feuilles plates, mais la saveur musquée et citronnée qui la caractérise la rend immédiatement reconnaissable.

Ses feuilles duveteuses sont souvent utilisées pour décorer les plats. On peut aussi les hacher et les mélanger à des sauces ou des farces. On trouve de la coriandre dans les épiceries et souvent dans les supermarchés.

C'est une coriandre pourvue de feuilles bien vertes et d'aspect frais qu'il faut acheter.

Pour conserver la coriandre, lavez-la à l'eau froide, essorez-la bien (en utilisant de préférence une essoreuse à salade), enveloppez-la dans du papier absorbant. Placez-la dans le bac à légumes de votre réfrigérateur, où elle devrait se conserver plusieurs jours.

La coriandre moulue

La coriandre moulue possède une saveur sucrée et citronnée et est abondamment utilisée dans la préparation des currys. On peut l'acheter moulue, mais son goût est meilleur quand on fait griller au four des grains de coriandre et qu'on les moud soi-même.

Le curry de Madras

Même si le curry qu'on trouve en Occident est totalement différent de celui employé dans la cuisine indienne, les cuisiniers thaïs les utilisent parce que leur saveur exotique et leur arôme subtil apportent un plus considérable à n'importe quel plat. Le mot « curry » fait référence à un style de cuisine, non à un épice.

Les crevettes séchées

Il s'agit de minuscules crevettes épluchées séchées au soleil. Il suffit d'en ajouter quelques-unes pour relever un plat entier. Choisissez-les d'une couleur rose orangé bien vive. Il n'existe aucun substitut à ce condiment unique, vendu en petits sachets dans les supermarchés chinois et asiatiques.

La galanga

Cette racine, qui fait partie de la même famille que le gingembre, est couramment appelée gingembre thaïlandais ou siamois. D'un blanc crémeux, la galanga est pourvue de pousses d'un rose particulier. Dotée d'une saveur forte et poivrée, elle est généralement mélangée à des piments et autres épices et herbes, elle permet de confectionner une base pour les currys, les soupes et les ragoûts. De plus, les Thaïlandais croient en ses vertus curatives. Si vous ne pouvez vous en procurer, remplacez-la par du gingembre frais.

L'ail

Les cuisiniers thaïs l'utilisent entier, haché menu, écrasé et macéré, pour parfumer currys, sauces, soupes et pratiquement tous les plats figurant à leur carte. L'ail thaïlandais possède des gousses plus petites et un parfum plus doux que celui des variétés occidentales ; il a une peau fine et rose que les Thaïs n'épluchent pas avant utilisation. Si vous ne trouvez pas d'ail thaïlandais, choisissez un ail occidental ferme et, d'une couleur rosée. Il doit être conservé dans un endroit frais et sec mais pas au réfrigérateur, où il risque de moisir ou de commencer à germer.

Le gingembre

La racine de gingembre fraîche a été surnommée « le roi » (King) en Thaïlande. Son goût piquant et épicé confère une saveur subtile, mais reconnaissable entre toutes, aux soupes, aux viandes et aux légumes ; en outre, c'est un condiment important des poissons et fruits de mer, dont il neutralise l'odeur trop forte.

La racine de gingembre présente une ressemblance avec un topinambour noueux ; sa longueur peut varier entre 7,5 et 15 cm. Choisissez des racines fermes et bien fraîches, et épluchez-les avant usage. Bien enveloppées dans un film transparent, elles se conserveront jusqu'à deux semaines au réfrigérateur.

En partant de la gauche : piments rouges séchés, piments rouges frais, huile pimentée.

Le gingembre séché, en poudre, a un goût totalement différent, et il est préférable de ne l'utiliser qu'en dernier recours.

Les feuilles de lime de Cafre

Issu du limier de Cafre, cet ingrédient est originaire de l'Asie du Sud-Est. Le citron lui-même est vert et de la taille d'une petite orange. Si son zeste est utilisé dans la cuisine thaïe, ce sont ses feuilles (appelées makrut en thaïlandais) qui sont le plus prisées. Dotées d'une saveur de citron-citron vert particulière, presque amère. Dans les sauces, curry, ragoûts, les feuilles de lime de Cafre libéreront lentement leur saveur citronnée pendant la cuisson. Si vous ne pouvez vous en procurer, remplacez-les par du zeste de citron vert.

Le lemon-grass

Le parfum et la saveur, subtils et citronnés de cette herbe, confèrent un cachet très particulier aux plats raffinés ; le lemon-grass est également l'ingrédient essentiel de la fameuse soupe thaïlandaise, *tom yam ghoong,* et de quantité d'autres spécialités.

Le lemon-grass est considéré autant comme une plante médicinale que comme une épice et souvent prescrit en cas de troubles digestifs. Il appartient à la famille de la citronnelle avec laquelle il ne faut pas le confondre.

Le lemon-grass se vend frais ou séché. Dans le premier cas, on le trouve sous la forme de tiges d'environ 60 cm ; toutefois, la plupart des recettes de cuisine ne nécessitent d'en utiliser que quelques centimètres. Cette herbe à la texture fibreuse parfume le plat pendant la cuisson, et est retirée après. Dans certaines recettes, le lemon-grass est haché menu ou entre dans la composition d'une pâte ; il fait alors partie intégrante du plat.

Achetez le lemon-grass le plus frais que vous puissiez trouver, généralement sur les marchés thaïlandais ou asiatiques. Le lemon-grass séché est utilisé essentiellement pour les tisanes ; évitez de l'employer pour la cuisine. Frais, il se conserve dans du papier pendant une semaine dans le bas du réfrigérateur. Enfin, sachez que le citron ne remplacera pas le lemon-grass et son arôme unique.

Le citron vert

Originaire d'Asie du Sud, la fraîcheur de son arôme, à la fois délicat et acidulé, en fait

Dans le sens des aiguilles d'une montre en partant de la gauche : tiges de lemon-grass, feuilles de lime de Cafre, citron vert frais.

un ingrédient idéal pour relever les plats ou servir de base pour les sauces. Son jus rafraîchissant et son zeste confèrent à de nombreux plats thaïs une saveur riche absolument unique. Les citrons verts thaïlandais sont plus petits et de couleur plus foncée que ceux que l'on trouve en Occident, mais tout aussi juteux et parfumés.

Les nouilles

Comme le riz, les nouilles constituent la base de repas consistants et rapides, ainsi que d'encas plus légers. En Occident, on consomme plusieurs types de plats de nouilles thaïlandais : à base de nouilles fraîches aux œufs (fines ou plus épaisses), de nouilles de blé, et les fameux vermicelles de riz fins ou plus épais. On peut se procurer des nouilles fraîches ou séchées sur les marchés thaïlandais et chinois.

Les vermicelles chinois

Ces vermicelles blancs transparents extrêmement fins sont confectionnés à partir de haricots mung. Ils se vendent séchés sur les marchés et dans les supermarchés chinois. On ne les sert jamais seul ; on les ajoute dans les soupes et les plats braisés, ou on les fait frire et les utilise pour décorer les plats. Plongez ces vermicelles environ 5 minutes dans l'eau chaude avant utilisation. Étant plutôt longs, vous préférerez peut-être les couper. Si vous les faites sauter, il n'est pas nécessaire de le faire tremper au préalable, mais vous devrez séparer les vermicelles. Faites-le de préférence à l'intérieur d'un grand sac en papier, afin d'éviter qu'ils ne se répandent partout.

Les vermicelles de riz

Ces nouilles séchées d'un blanc opaque existent en quantité de formes et d'épaisseurs. Ils sont très faciles à préparer. Il suffit de les faire tremper pendant 25 minutes dans l'eau chaude jusqu'à ce qu'ils soient mous, puis de les égoutter à l'aide d'une passoire ou d'un tamis. On peut alors les ajouter à une soupe ou à un plat sauté.

Les nouilles de blé et les nouilles aux œufs

Ces nouilles, qu'on peut acheter fraîches, sont confectionnées à partir d'eau et de farine de blé, et d'œufs. Plates, elles sont généralement utilisées dans les soupes, alors que les plus rondes se prêtent mieux à la friture. Soigneusement emballées, les nouilles fraîches se congèlent sans problème. Faites-les décongeler complètement avant cuisson.

Les nouilles de blé et les nouilles aux œufs sont excellentes blanchies et servies en accompagnement des plats principaux à la place du riz nature. Faites-les cuire 3 à 5 minutes dans l'eau bouillante, puis égouttez-les et servez. Si vous faites cuire vos nouilles à l'avance ou souhaitez les faire sauter ensuite, ajoutez-leur deux cuillerées à café d'huile de sésame après les avoir égouttées ; transférez-les dans une jatte, recouvrez celle-ci d'un film transparent, et déposez-la dans le réfrigérateur pendant 2 heures.

Les huiles

Même si les graisses animales – saindoux et graisse de poulet, en général – sont employées dans certaines régions, les cuisiniers thaïs tendent à utiliser des huiles végétales simples à base de colza, mais ma préférence va à l'huile d'arachide.

Pour pouvoir réutiliser une huile de cuisson, laissez-la refroidir, puis filtrez-la dans un bocal à l'aide d'une passoire garnie d'une mousseline ou d'un tamis fin. Fermez hermétiquement le bocal et conservez l'huile dans un endroit frais et sec. Je trouve qu'il est préférable de ne réutiliser qu'une fois l'huile de cuisson, car des utilisations répétées ne font qu'augmenter sa teneur en acides gras saturés.

L'huile d'arachide

Cette huile se prête bien à la cuisine thaïe en raison de son goût agréable, neutre. Même si elle contient plus d'acides gras saturés que d'autres huiles, elle possède une qualité qui la rend parfaite pour les sautés ou les fritures : elle peut être chauffée à des températures très fortes sans brûler. On peut, le cas échéant, lui substituer de l'huile de maïs.

L'huile de maïs

L'huile de maïs convient parfaitement à la cuisine thaïe car elle peut être portée à de très fortes températures. Si son goût est un peu fade et son odeur légèrement désagréable, sa forte teneur en acides gras non saturés en fait l'une des huiles les plus saines.

Les autres huiles végétales

Parmi les huiles végétales les moins chères, on trouve l'huile de soja, l'huile de carthame ainsi que l'huile de tournesol. Aussi légères que claires, ces dernières peuvent également s'employer dans la cuisine thaïe, avec prudence toutefois, car elles fument et brûlent à des températures moins élevées que l'huile d'arachide.

L'huile de sésame

Cette huile épaisse et riche, de couleur brun doré, est extraite des graines de sésame ; elle se caractérise par son arôme et sa saveur de noisette.Elle n'est pas utilisée en cuisine thaïe comme huile de cuisson parce qu'elle brûle rapidement. Elle convient mieux comme aromate dans les plats ; à cet effet, on l'ajoute souvent en fin de préparation.

Le poivre en grains

Le poivre noir en grains

Les grains de poivre noir sont les baies d'une vigne appelée *Piper Nigrum*, que l'on a cueillies avant maturité, puis laissé fermenter et sécher jusqu'à ce qu'elles durcissent et noircissent. C'est fraîchement moulus qu'ils sont les meilleurs. Avant l'arrivée des piments en Thaïlande, au XVIᵉ siècle, c'est le poivre noir qu'on utilisait pour relever les plats. Aujourd'hui encore, il constitue un ingrédient essentiel des marinades, des pâtes et des condiments.

Le poivre blanc en grains

Les grains de poivre blanc proviennent des plus grandes baies mûres, que l'on suspend plusieurs jours sous l'eau courante jusqu'à ce qu'elles gonflent, ce qui permet de les peler beaucoup plus facilement. Chauffées par le soleil, les graines pâles des baies prennent une couleur beige clair.

Les crevettes

Pour préparer les recettes de ce livre, il vous faudra de grosses crevettes crues, généralement vendues sous l'appellation « crevettes roses du Pacifique » ou « crevettes géantes ». On peut trouver des crevettes fraîches, mais, la plupart du temps, elles sont déjà cuites – souvent trop. Il est préférable d'utiliser des crevettes crues surgelées, car celles qui sont déjà cuites ne pourront s'imprégner des parfums de

Dans le sens des aiguilles d'une montre en partant d'en haut, à gauche : nouilles aux œufs, vermicelles de riz, bâtonnets de riz, et vermicelles chinois.

la sauce dans laquelle on les fait cuire. Pour décortiquer les crevettes, commencez par ôter la tête, puis entaillez toute la partie ventrale pour séparer la carapace en deux ; épluchez alors les crevettes sans oublier les pattes (si on le souhaite, on peut laisser la queue pour décorer). Il faut aussi retirer la nervure centrale : incisez les crevettes dans le sens de la longueur en vous arrêtant juste avant la queue et retirez le boyau noir central. Lavez les crevettes avant utilisation. En Chine, on recourt à une petite astuce pour bonifier les crevettes crues congelées : après les avoir décortiquées et avoir retiré leur nervure centrale, on les rince 3 fois dans un mélange contenant 1 cuillerée à café de sel et 1 à 2 litres d'eau froide, en renouvelant l'eau et le sel à chaque rinçage. Cela permet de raffermir la consistance des crevettes et leur confère un goût sain et cristallin.

Ci-dessus : riz jasmin et pâte à raviolis chinois sur galette de riz.

Le riz jasmin

Ce riz long grain parfumé est apprécié pour sa saveur aromatisée à la noisette ; il est très prisé des cuisiniers thaïs. Il y a là quelque chose de mystérieux : j'ai lu quelque part que le goût du jasmin était imperceptible dans ce riz, mais qu'on sentait néanmoins qu'il était différent – une différence agréable. De fait, aussi subtile soit-elle, la différence est bien là.

Le riz cuit à la vapeur

La cuisson à la vapeur est une méthode simple, directe et efficace de faire cuire le riz. Employez du riz jasmin, du riz basmati (indien) ou tout autre riz blanc long grain de qualité supérieure, qui sera sec et aéré après cuisson. Évitez d'employer du riz précuit, ou « cuisson facile », qui n'a pas la riche saveur et la texture du riz long grain.

Le secret pour confectionner un riz qui ne colle pas consiste à le recouvrir de 2,5 cm d'eau, pas plus (sur la plupart des paquets de riz, la quantité d'eau indiquée est bien trop importante, si bien que le riz est pâteux après cuisson), et le faire cuire à feu fort dans une casserole non couverte jusqu'à évaporation presque totale de l'eau. Baissez ensuite le feu, couvrez la casserole et continuez la cuisson à feu très doux dans la vapeur qui va se dégager. Ne retirez surtout pas le couvercle après que le processus de cuisson à la vapeur a commencé, chronométrez et attendez. Suivez mon conseil est vous obtiendrez un riz parfait.

Pour 4 personnes, remplissez un verre gradué de 40 cl de riz long grain. Transvasez le riz dans une jatte et lavez-le plusieurs fois en renouvelant à chaque fois l'eau, jusqu'à ce qu'elle soit parfaitement claire. Egouttez le riz, mettez-le dans une grande casserole contenant 60 cl d'eau et portez à ébullition. Maintenez à ébullition pendant 5 minutes environ, jusqu'à évaporation quasi totale de l'eau. Quand la surface des grains de riz apparaît striée de petites fissures, couvrez hermétiquement la casserole, réglez le feu aussi bas que possible, et laissez mijoter le riz pendant 15 minutes. Il est inutile d'aérer le riz à l'aide d'une fourchette. Laissez-le simplement reposer 5 minutes avant de servir.

Les galettes de riz

Les galettes de riz sont composées d'un mélange de farine de riz, d'eau et de sel, aplati par une machine jusqu'à acquérir la finesse d'une feuille de papier ; ce mélange est ensuite séché au soleil sur des sets de bambou, ce qui imprime sur les feuilles translucides un joli motif hachuré. Bien que davantage assimilé à la cuisine vietnamienne, Les galettes de riz sont également utilisées par les cuisiniers thaïs pour envelopper le contenu des rouleaux de printemps. Je préfère moi aussi employer des galettes de riz à cet effet, car elles absorbent moins l'huile que les galettes à base de blé.

Les galettes de riz se vendent en paquets de 50 ou 100 feuilles rondes ou triangulaires. Toutes les marques conviennent, surtout les marques vietnamiennes et chinoises. Choisissez des galettes de riz bien blanches – évitez celles qui présenteraient une teinte jaunâtre, signe de vieillesse. Des morceaux de feuilles brisées dans le paquet peuvent également être l'indice de galettes trop vieilles. Conservez Les galettes de riz dans un endroit frais et sec. Après ouverture, remettez les galettes restantes dans le paquet, et placez celui-ci dans un sac en plastique hermétiquement fermé.

Les sauces et les pâtes

Elles sont indispensables à la préparation d'une authentique cuisine thaïe, et cela vaut la peine de faire l'effort de se les procurer. La plupart s'achètent en bouteilles ou en conserves.

La pâte de soja pimentée

Cette sauce ou pâte noire et épaisse est confectionnée à partir de haricots de soja, de piments et autres condiments ; elle est très forte et épicée. Refermez hermétiquement le couvercle après usage et conservez la bouteille dans le garde-manger ou au réfrigérateur. Cette sauce ne doit pas être confondue avec la sauce pimentée, plus forte, plus rouge et moins épaisse, qui ne contient pas de haricots de soja et qui est utilisée principalement pour tremper certains aliments.

La sauce de poisson

La sauce de poisson, ou *nam pla*, aussi connue sous l'appellation « bouillon de poisson » est liquide, de couleur brune, elle est confectionnée à partir d'extraits de poisson salé fermenté, généralement des anchois ; elle se caractérise donc par une odeur de poisson et un goût salé. Si l'on n'y est pas habitué, il est recommandé de l'utiliser avec parcimonie au début. Toutefois, souvenez-vous que la cuisson édulcore sensiblement son goût de poisson ; or, cette sauce peut conférer aux plats une richesse et une qualité particulières. Les marques thaïlandaises sont particulièrement savoureuses, et leur goût légèrement moins salé. Achetez la meilleure qualité disponible.

La sauce d'huître

Cette sauce épaisse et marron est confectionnée à partir d'un concentré d'huîtres cuites dans de la sauce de soja et de la saumure. Contrairement à ce que son nom pourrait laisser penser, elle ne sent pas du tout le poisson ; elle est utilisée non seulement dans la cuisine, mais aussi comme condiment mélangé à une petite quantité d'huile et employé pour relever les légumes, la volaille et la viande. Elle est généralement vendue en bouteille. C'est au réfrigérateur qu'elle se conserve le mieux. Il existe maintenant de la sauce d'huître végétarienne à base de champignons.

La pâte de crevettes / la sauce aux crevettes

Elle est confectionnée à partir de crevettes salées broyées dans un mixeur ou un mortier, puis fermentées. Pour la pâte de crevettes, on fait sécher ce mélange au soleil et on le découpe en « gâteaux ». Épaisse et humide, la sauce aux crevettes est toutefois transvasée directement dans des bocaux. Par la suite, en vieillissant, cette sauce liquide et rose acquiert une teinte grisâtre et un goût prononcé. Elle confère aux plats une saveur et un arôme particuliers – semblables à ceux de la pâte d'anchois, mais en plus fort.

N'oubliez pas que son arôme et son goût, bien que forts au départ, s'atténuent rapidement au fur et à mesure de la cuisson. Les meilleures marques de sauce aux crevettes sont fabriquées en Thaïlande. Cette sauce se conserve indéfiniment au réfrigérateur.

La sauce de soja

La sauce de soja est confectionnée à partir d'un mélange de haricots de soja, de farine et d'eau, qu'on laisse fermenter naturellement et vieillir pendant quelques mois avant de le distiller. La sauce de soja existe en deux variétés : claire et noire. La sauce claire n'a pas une couleur très prononcée, mais, très aromatique, elle est celle qui convient le mieux pour la cuisine. Plus salée que la sauce de soja noire, elle se vend sous l'appellation « Superior Soy ».

Cela peut prêter à confusion, mais la sauce de soja noire est, elle, connue sous le nom de « Soy Superior Sauce ». On la laisse vieillir beaucoup plus longtemps que la sauce de soja claire, d'où sa couleur plus foncée, sa consistance un peu plus épaisse et son goût plus fort. Elle convient mieux pour les ragoûts. Et, comme sauce d'accompagnement, je la préfère à la sauce de soja claire. La sauce de soja noire est la plus vendue en supermarché, mais les magasins d'alimentation thaïs et chinois commercialisent les deux variétés, et leur qualité est excellente. En raison de la grande similitude entre les deux appellations, faites attention à bien acheter la sauce que vous souhaitez !

La pâte de curry rouge

Il s'agit d'une pâte extrêmement parfumée à base d'herbes et d'épices qu'on utilise dans les currys de coco, les soupes et autres plats. La pâte de curry rouge est confectionnée à partir de piments rouges séchés, et la pâte de curry vert à partir de piments verts frais – n'oubliez pas que ceux-ci sont bien plus forts que les piments rouges.

La pâte de curry nécessite un temps de préparation très long, et, même en Thaïlande, la plupart des cuisiniers ne la confectionnent pas eux-mêmes ; ils l'achètent dans leur magasin favori.

Les graines de sésame

Il s'agit des graines séchées du sésame. Dotées d'un agréable parfum de noisette, elles sont riches en protéines et en minéraux. Dans leur balle, ces graines vont du blanc grisâtre au noir, mais, décortiquées, elles ont une couleur crème, sont minuscules et pointues à une extrémité. Elles se conserveront indéfiniment dans un bocal en verre placé dans un endroit frais et sec.

Pour faire griller des graines de sésame, mettez-les dans une poêle que vous aurez fait chauffer au préalable, et remuez de temps en temps. Surveillez-les. Quand, au bout de 3 à 5 minutes, les graines commencent à dorer légèrement, remuez-les de nouveau et placez-les

Dans le sens des aiguilles d'une montre en partant d'en haut, à gauche : sauce de poisson, pâte de curry vert, pâte de soja pimentée, sauce d'huître, pâte de crevettes et pâte de curry rouge.

Dans le sens des aiguilles d'une montre en partant de la gauche : curry Madras, graines de sésame et haricots mung

sur une assiette. Laissez-les refroidir, puis conservez-les dans un bocal en verre dans un endroit frais et sombre.

Vous pouvez également disposer les graines sur une plaque de cuisson et les faire griller 10 à 15 minutes dans un four préchauffé à 160° C (thermostat 3 pour les fours à gaz).

L'échalote

L'échalote a sa version thaïe. Petites – de la taille des petits oignons –, avec une peau rouge cuivrée, les échalotes ont un arôme proche de celui de l'oignon, mais pas aussi fort ni puissant. Celles qu'on trouve en Occident font un excellent substitut aux échalotes thaïes, que l'on a parfois du mal à se procurer.. Elles sont onéreuses, mais une petite quantité suffira à parfumer durablement les plats. Conservez-les dans un endroit sec et frais (pas au réfrigérateur) et épluchez-les, émincez-les, ou hachez-les exactement comme un oignon.

Le vin de riz de Shaoxing

Le vin de riz n'est pas un élément essentiel de la cuisine thaïe, mais on l'utilise de plus en plus en Thaïlande. Il constitue, depuis des siècles, un ingrédient important de la cuisine chinoise ; la meilleure qualité est fabriquée à Shaoxing, dans la province du Zhejiang, à l'est de la Chine. Il est préparé à partir de riz gluant, de levure et d'eau de source.Il doit être conservé à température ambiante, dans une bouteille hermétiquement bouchée. On peut lui substituer un xérès sec et pâle de qualité, qui ne remplacera toutefois pas son goût riche et moelleux. Il ne faut pas confondre le vin de riz avec le saké, sa version japonaise, très différente. Les vins occidentaux fabriqués avec du raisin ne font pas non plus un substitut satisfaisant.

Le sucre

Depuis des siècles, le sucre est employé – avec parcimonie – en Thaïlande dans la cuisine de plats savoureux. Utilisé à bon escient, il permet d'équilibrer le goût des sauces et de plats divers. Il s'agit d'un sucre jaune ou brun en morceaux (plus gros dans le second cas), riche et doté d'un goût plus subtil que le sucre en poudre raffiné. On peut également l'utiliser pour conférer un aspect brillant, ou glacé, aux plats braisés et aux sauces. Il se vend dans les magasins d'alimentation thaïs ou chinois, généralement en paquets, même si certains cuisiniers préfèrent sa version en conserve. Certaines recettes nécessitent qu'on casse les morceaux à l'aide d'un maillet en bois ou d'un rouleau à pâtisserie.

Si vous ne trouvez pas de sucre jaune, substituez-lui du sucre semoule ou du sucre de canne. Vous pouvez également le remplacer par du sucre brun clair auquel vous ajouterez sa quantité de mélasse.

Les vinaigres

La cuisine thaïe utilise largement différentes sortes de vinaigres. Contrairement aux vinaigres que l'on trouve en Occident, ils sont souvent à base de riz. Il en existe une grande variété, dont la saveur va de l'épicé et légèrement acide au doux et piquant. On peut acheter ces vinaigres dans les magasins d'alimentation et les supermarchés thaïs ; ils se conservent indéfiniment. Si vous ne trouvez pas la variété que vous cherchez, remplacez-la par du vinaigre de cidre, ou de malt, le cas échéant, mais son goût est plus fort et plus acide. Les cuisiniers thaïs ont adopté, pour certains plats, un vinaigre de vin blanc occidental de qualité, connu pour sa saveur forte et acide. Mais ne remplacez jamais du vinaigre de riz par du vinaigre de vin blanc quand c'est le premier qui doit être employé – le contraste serait trop fort. .

Le vinaigre de riz blanc
Ce vinaigre clair possède une saveur douce avec un goût subtil de riz gluant. Il s'utilise dans les plats aigres-doux.

Le vinaigre de riz noir
Le goût du vinaigre de riz noir est à la fois doux et riche. Il s'utilise dans les plats braisés, les sauces, et parfois comme assaisonnement du crabe.

Le vinaigre de riz rouge
Sucré et épicé à la fois, il est généralement utilisé comme assaisonnement pour les fruits de mer.

Les pois de Nouvelle-Guinée
Ces légumes originaux sont prisés pour leur saveur délicate qui rappelle celle de l'asperge. Ces haricots courts et trapus d'un vert brillant sont ornés sur toute leur longueur d'un motif qui leur donne l'aspect d'une plume. La plupart du temps, ils sont blanchis et servis en salade, avec une sauce aromatique. On peut les remplacer sans problème par des haricots à rames ou des haricots verts.

Les feuilles de pâte à wontons (raviolis chinois)
Ces fines feuilles de pâte jaune pâle, fabriquées à partir d'œufs et de farine, peuvent être farcies avec de la viande hachée puis frites, cuites à la vapeur ou utilisées dans les soupes. Elles s'achètent fraîches ou surgelées en petits paquets de 8 cm, dans du plastique. Selon la marque, le nombre de feuilles par paquets peut varier de 30 à 36. Placées dans un film transparent ou un sac en plastique, les feuilles de pâte à raviolis fraîches se conservent au réfrigérateur pendant 5 jours environ. Si l'on utilise une pâte surgelée, il suffit de retirer la quantité de feuilles souhaitée et de les faire décongeler avant emploi. Il ne faut pas confondre ces feuilles de pâte à wonton avec les feuilles de galette de riz plus délicates.

Le matériel

La cuisine thaïe ne nécessite pas l'utilisation d'un matériel spécial. Malgré la complexité des ingrédients, des couleurs, des goûts et des textures, la préparation de cette cuisine est simple et basique. Néanmoins, quelques ustensiles, utilisés depuis plusieurs siècles et qui ont fait leurs preuves, peuvent vous simplifier considérablement la tâche. Ainsi, lorsque vous vous serez familiarisés avec le wok, l'art culinaire thaï, et, au-delà, celui de toute l'Asie du Sud-Est, n'aura plus de secret pour vous. Qui plus est, vous vous apercevrez que ces ustensiles sont également très commodes pour préparer vos plats préférés – thaïs ou occidentaux.

Le wok
Il s'agit de l'ustensile de cuisine le plus polyvalent qu'on ait jamais inventé : on peut l'employer pour cuire à feu vif, blanchir, frire, ou cuire à la vapeur toutes sortes d'ingrédients. Dans le cas des sautés, les parois profondément incurvées du wok empêchent les projections d'aliments. Dans le cas d'une friture, le fond en pointe du wok permettra d'utiliser beaucoup moins d'huile qu'avec un récipient classique.
Il existe deux sortes principales de wok : le modèle cantonais classique, dont chaque côté est doté d'une petite anse arrondie, et le pau, parfois appelé wok de Pékin, qui possède un manche de 30 à 35 cm garantissant une plus grande distance de sécurité entre le cuisinier et une éventuelle projection d'huile ou d'eau bouillante.
Le wok classique à fond rond ne peut être utilisé que sur les cuisinières à gaz. Il existe aujourd'hui des woks à fond plus plat, conçus spécialement pour les plaques électriques. Bien que cette nouvelle forme n'atteigne pas vraiment l'objectif traditionnel, qui est de concentrer une chaleur intense au centre de l'ustensile, elle présente malgré tout l'avantage d'être plus profonde qu'une poêle à frire ordinaire.

Le choix du wok
Optez pour un grand modèle – 30 à 35 cm de diamètre de préférence –, doté de parois

Ci-dessus : wok avec couvercle, spatule, baguettes, hachoir et grille.

élevées. Il est plus facile – et plus sûr – de faire cuire de petites quantité d'aliments dans un grand wok que de grandes quantités dans un petit. Attention : certains woks modernes ne sont pas assez profonds, ou sont dotés d'une base trop plate – autant utiliser une poêle. Un wok plus lourd, de préférence en acier au tungstène, sera d'une qualité supérieure à un modèle en acier inoxydable ou en aluminium, plus léger, qui ne supporte pas les températures élevées et tend à noircir et à carboniser la nourriture. On trouve maintenant des woks antiadhésifs en acier au tungstène qui retiennent la chaleur. Il faut les manipuler avec précaution afin de ne pas les rayer ; toutefois, les techniques antiadhésives ayant beaucoup progressé ces dernières années, on ne peut que conseiller l'emploi des ustensiles qu'elles ont permis de développer. Ils sont particulièrement recommandés pour la cuisson d'ingrédients acides tels que le citron. Les woks thaïlandais sont généralement en laiton, et dotés d'une base plus large et plus plate que les woks chinois, mais ils permettent de faire à peu près la même chose.

Le culottage du wok

Tous les woks, excepté les woks antiadhésifs, doivent être culottés avant la première utilisation. Beaucoup nécessitent également d'être récurés afin de retirer l'huile de graissage qui les recouvrent pour les protéger pendant le transport. C'est la seule et unique fois que vous devrez effectuer ces opérations – à moins que votre wok n'ait rouillé.

Nettoyez-le avec du détergent liquide et de l'eau, puis essuyez-le et faites-le chauffer à feu doux. Versez-y deux cuillerées à soupe d'huile de cuisson et à l'aide d'une feuille de papier absorbant, étalez-la sur toute la surface interne du wok jusqu'à créer une fine pellicule. Faites chauffer doucement le wok pendant environ 10 à 15 minutes, puis passez une autre feuille de papier absorbant ; celle-ci sera complètement noircie par le dépôt de graisse resté sur la poêle. Renouvelez ces différentes opérations (huilage, chauffage et essuyage) jusqu'à ce que le papier absorbant soit blanc. À l'usage, votre wok va devenir plus sombre, ce qui est bon signe.

Le nettoyage du wok

Votre wok culotté, ne le nettoyez jamais au savon et à l'eau. Lavez-le simplement à l'eau claire après chaque utilisation, puis séchez-le entièrement en le faisant chauffer à feu doux pendant une minute ou deux. S'il commence à rouiller, nettoyez-le avec du détergent liquide et effectuez un nouveau culottage. Si vous l'utilisez et en prenez soin normalement, cet ustensile polyvalent vous servira pendant longtemps !

Cuire à feu vif dans un wok

La chose la plus importante pour la cuisson à feu vif dans un wok est d'avoir tous les ingrédients à portée de main – cela vous fera gagner du temps, car vous ne pourrez vous interrompre sans cesse pour couper et hacher tout en cuisinant.

Mettez votre wok sur le feu jusqu'à ce qu'il soit très chaud, puis versez-y l'huile et répartissez-la de manière égale sur toute la surface intérieure à l'aide d'une spatule en métal ou d'une cuillère à long manche. Le wok doit commencer à fumer lorsque vous y mettez les ingrédients.

Faites cuire ces derniers à feu vif en les remuant à l'aide de la spatule en métal ou de la cuillère à long manche. Si vous faites sauter de la viande, laissez-la dorer quelques secondes de chaque côté avant de continuer à remuer. Déplacez sans cesse les ingrédients du centre vers les bords du wok.

Je préfère utiliser un wok à long manche, car la forte température nécessaire à la cuisson de ces ingrédients peut provoquer beaucoup de projections.

Les accessoires du wok

Le support

Il s'agit d'un anneau ou d'un cadre de métal conçu pour permettre à un wok de forme traditionnelle de conserver son équilibre sur une plaque de cuisson. Le support est indispensable si vous voulez utiliser votre wok pour la cuisson à la vapeur, pour les fritures ou la préparation de plats braisés. Il existe deux types de supports : un anneau de métal épais percé d'environ six trous d'aération, et un cadre circulaire en fil métallique. Si vous cuisinez sur une cuisinière à gaz, utilisez ce type-là car le premier ne permet pas une ventilation suffisante et peut provoquer une accumulation de gaz qui risque d'éteindre complètement la flamme.

Dans le sens des aiguilles d'une montre en partant du haut : autocuiseur, pilon et mortier pour moudre les épices, panier de cuisson à la vapeur en bambou.

Le couvercle

Ce couvercle en forme de coupole, léger et peu onéreux, est généralement en aluminium et sert pour la cuisson à la vapeur. Normalement, il est vendu avec le wok ; dans le cas contraire, on peut l'acheter dans un magasin d'articles chinois ou asiatiques, ou le remplacer par n'importe quel couvercle de forme similaire qui s'ajustera bien sur le wok.

La spatule

Une spatule en métal à long manche de forme assez semblable à celle d'une petite pelle sera idéale pour rassembler et remuer les ingrédients dans le wok.

N'importe quelle cuillère à long manche fera également l'affaire. Les spatules thaïes sont généralement en coquille de noix de coco.

La grille

Pour faire cuire des aliments à la vapeur dans votre wok, vous allez avoir besoin d'une grille de bois ou de métal afin de les maintenir au-dessus de l'eau. Les woks sont généralement vendus avec une grille, mais, dans le cas contraire, sachez que l'on en trouve dans les magasins d'alimentation chinois et asiatiques. En outre, les grands magasins et les quincailleries vendent des supports de bois ou de métal qui peuvent avoir la même utilité. En fait, n'importe quel ustensile similaire fera l'affaire, pourvu qu'il maintienne les aliments au-dessus du niveau de l'eau afin qu'ils soient cuits à la vapeur et non bouillis.

La brosse en bambou

Cette boule rêche de bambou coupé permet de nettoyer un wok sans racler la surface culottée avant la première utilisation. Joli et peu onéreux, cet accessoire n'est cependant pas indispensable. Une lavette pour la vaisselle fera aussi bien l'affaire.

La planche à découper

Cette planche à découper moderne en bois dur ou en matière synthétique blanche compte parmi les nouveautés qui représentent une nette amélioration par rapport aux ustensiles de cuisine thaïs traditionnels. Les planches à découper thaïes classiques sont en bois tendre, donc difficiles à entretenir et favorisent le développement de bactéries. Les planches en bois dur ou en matière synthétique blanche sont faciles à nettoyer, résistent à l'accumulation des bactéries et durent beaucoup plus longtemps.

La cuisine thaïe nécessite très souvent de hacher, trancher et couper en dés ; c'est pourquoi posséder une grande planche à découper bien stable est essentiel. Pour des questions d'hygiène, ne posez jamais de viande cuite sur une planche ayant servi à la préparation de viande crue ou de la volaille (et qui n'a pas été nettoyée). Réservez une planche à cet effet, et lavez-la très soigneusement après chaque utilisation.

Les baguettes

Vous serez peut-être surpris d'apprendre que les Thaïs n'utilisent généralement pas de baguettes. Bien que nombre de restaurants thaïs en Occident présentent des baguettes à leurs clients, en Thaïlande, on n'en trouve en principe que dans les restaurants chinois. Les Thaïlandais mangent avec couteau et fourchette.

Toutefois, vous apprécierez peut-être de proposer des baguettes à vos convives pour déguster vos repas thaïs. Beaucoup d'Occidentaux les trouvent difficiles à manier, mais je les encourage toujours à les utiliser, non seulement parce qu'il est toujours intéressant d'essayer une technique nouvelle, mais aussi parce que les baguettes permettent indéniablement au novice d'entrer de plain-pied dans l'univers de la gastronomie asiatique – de l'appréhender de manière pratique, pourrait-on dire. Les baguettes peuvent également servir à remuer, battre, fouetter et mélanger. Mais bien sûr, on peut utiliser, à l'occidentale, des cuillères, fourchettes, louches, spatules et fouets.
Les baguettes sont bon marché et faciles à se procurer. Je préfère les baguettes en bois, mais, pour des raisons d'économie et d'hygiène, en Chine, il est plus courant d'utiliser (et de réutiliser) des baguettes en plastique.

Le hachoir

Les cuisiniers thaïs et chinois utilisent le hachoir pour couper absolument tous les aliments, il rend inutile l'utilisation d'autres instruments contendants. Quand vous aurez appris à manier un hachoir, vous constaterez qu'on peut l'employer pour émincer, couper en dés, en filets, en lamelles, ou trancher ou écraser toutes sortes d'aliments.

La plupart des cuisiniers asiatiques utilisent toujours 3 sortes de hachoir – un léger, un moyennement lourd et un lourd – à employer, bien entendu, en fonction du type d'aliments à préparer. Vous pouvez évidemment vous servir de vos couteaux de cuisine, mais si vous décidez d'investir dans un hachoir, optez pour un modèle de bonne qualité, en acier inoxydable, et aiguisez-le régulièrement.

La friteuse

Une friteuse est très utile et vous trouverez probablement cet ustensile plus sûr et plus facile à utiliser qu'un wok.

Attention, les quantités d'huile indiquées dans les recettes de ce livre sont celles nécessaires pour frire les aliments dans un wok. Si vous employez une friteuse, il vous faudra les doubler, mais ne remplissez jamais d'huile plus de la moitié de la friteuse.

L'autocuiseur

Les autocuiseurs électriques sont de plus en plus prisés. Ils permettent de cuire parfaitement le riz et le tiennent chaud tout au long du repas. Ils présentent en outre l'avantage de libérer un brûleur ou une plaque de cuisson ; la cuisinière est donc moins encombrée. Toutefois, les autocuiseurs sont relativement chers, leur achat n'en vaut donc vraiment la peine que si vous consommez régulièrement du riz.

Le cuit-vapeur

La cuisson à la vapeur n'est pas très répandue en Occident. C'est très dommage, car c'est la meilleure méthode pour préparer de nombreux aliments à la saveur et à la consistance délicates tels que le poisson et les légumes.

En Thaïlande, on utilise depuis des siècles des paniers de cuisson à la vapeur en bambou. Il en existe de différentes tailles, celui de 25 cm de diamètre étant le plus approprié à un usage domestique.

On place les aliments dans ce panier, puis le panier lui-même au-dessus d'un wok ou d'un faitout d'eau bouillante. Pour empêcher que les aliments n'adhèrent au panier pendant la cuisson, placez-les sur une mousseline propre et humide que vous aurez préalablement disposée à l'intérieur du panier. Un couvercle en bambou bien ajusté empêchera la vapeur de s'échapper. Il est possible d'empiler plusieurs paniers à vapeur pour faire cuire dans chacun d'eux des aliments différents.
Avant la première utilisation d'un panier en bambou, lavez-le et faites-le chauffer à vide pour créer de la vapeur pendant environ 5 minutes. Bien sûr, si vous préférez, vous pouvez utiliser un cuit-vapeur en métal.

Les ustensiles divers

Récipients en Inox de différentes tailles ainsi que tamis et passoires complètent la liste de ces ustensiles de base. Ils vous seront très utiles car vous serez souvent amenés à passer ou à filtrer des huiles et des jus de cuisson, et à mélanger quantité d'ingrédients succulents. Mieux vaut donc posséder un ustensile en trop qu'en moins.

SOUPES et ENTRÉES

Soupe piquante aux crevettes

Cette délicieuse soupe, appelée *tom yam ghoong* en thaïlandais, est l'une des préférées des occidentaux. À la fois épicé et légèrement aigre, ce mélange savoureux d'herbes et de condiments est facile à préparer et fera une entrée parfaite.

Pour 4 personnes
Préparation : 15 minutes
(laisser reposer 10 minutes)
Cuisson : 15 minutes

2 tiges de lemon-grass frais

1,2 l de bouillon de poisson ou de poulet fait maison, ou acheté et de qualité

8 feuilles de limes de Cafre coupées en deux, ou une cuillerée à soupe de leur zeste coupé en lanières

3 piments thaïs rouges, frais, épépinés et coupés en fines lamelles

1/2 cuillerée à café de poivre noir

3 cuillerées à soupe de sauce de poisson *(nam pla)*

3 cuillerées à soupe de jus de citron vert

225 g de crevettes crues, décortiquées et débarrassées de leur nervure centrale (page 15)

2 oignons nouveaux coupés en fines lamelles

5 brins de coriandre fraîche

1 Pelez les tiges de lemon-grass jusqu'à ne conserver que la partie centrale, tendre et blanche. Coupez-la en morceaux de 7,5 cm et écrasez-les avec le plat d'un gros couteau.

2 Faites mijoter le bouillon à feu doux dans une grande casserole et ajoutez le lemon-grass. Baissez le feu, puis couvrez et laissez mijoter 10 minutes. Retirez le lemon-grass à l'aide d'une écumoire et jetez-le.

3 Ajoutez les feuilles ou le zeste de lime de Cafre, les piments, le poivre noir, la sauce de poisson ainsi que le jus de citron, et laissez mijoter 3 minutes. Puis ajoutez les crevettes, couvrez la casserole et retirez-la du feu. Laissez reposer 10 minutes.

4 Ajoutez les oignons
nouveaux et les brins de
coriandre. Transférez dans
une grande soupière ou dans
des bols individuels et servez
immédiatement.

Soupe au riz

Il s'agit de la version thaïe d'une soupe de riz légère que l'on trouve partout en Asie. Les Chinois la préparent plus épaisse et crémeuse, tandis que cette *kao tom*, ainsi qu'on l'appelle en Thaïlande, s'apparente davantage à un bouillon liquide. Vous pouvez, à votre convenance, lui ajouter des morceaux (cuits) de viande, de volaille ou des fruits de mer, ou la servir telle quelle, avec la décoration indiquée ci-dessous.

Pour 2 à 4 personnes
Préparation : 15 minutes
Cuisson : 10 minutes

100 g de riz blanc long grain cuit

1,2 l de bouillon de poulet fait maison, ou acheté et de qualité

3 cuillerées à soupe de sauce de poisson *(nam pla)*

Poivre noir fraîchement moulu, à volonté

1/2 cuillerée à soupe d'huile végétale

3 cuillerées à soupe d'ail haché menu

Pour décorer :

2 oignons nouveaux coupés en fines lamelles

1 cuillerée à soupe de gingembre frais coupé en fines lamelles

1 ou 2 petits piments thaïs rouges ou verts, frais, épépinés et coupés en fines lamelles

Une poignée de feuilles de coriandre fraîche

1 Mélangez le riz cuit et le bouillon dans une grande casserole et faites mijoter à feu doux. Ajoutez la sauce de poisson et le poivre noir et laissez mijoter 5 minutes à feu doux.

2 Faites chauffer à feu moyen un wok ou une grande poêle jusqu'à ce que ce récipient soit très chaud (il ne doit pas fumer). Versez l'huile et, quand elle est bien chaude, ajoutez l'ail en remuant. Baissez le feu et faites revenir doucement l'ail pendant 20 secondes, jusqu'à ce qu'il soit légèrement doré. Retirez-le et égouttez-le sur du papier absorbant.

3 Versez le riz et le bouillon
dans le wok et laissez mijoter
2 minutes. Transvasez dans
une soupière et décorez avec
l'ail, les oignons nouveaux,
le gingembre, les piments et
les feuilles de coriandre.
Servez immédiatement.

Soupe du Nord
au poulet et nouilles

Cette *khao soi* est une soupe formidablement nourrissante et cependant typiquement thaïe – le mets idéal pour une grande tablée de convives affamés !

Pour 4 à 6 personnes
Préparation : 10 minutes
Cuisson : 25 minutes

175 g de nouilles aux œufs fraîches ou séchées

2 tiges de lemon-grass frais

175 g de blancs de poulet

1 cuillerée à soupe d'huile végétale

1 petit oignon haché menu

2 cuillerées à soupe d'ail grossièrement haché

1,2 l de bouillon de poulet fait maison, ou acheté et de qualité

40 cl de lait de coco en conserve

2 petits piments thaïs rouges ou verts, frais, épépinés et coupés en fines lamelles

1 cuillerée à soupe de sauce de poisson *(nam pla)*

1 cuillerée à soupe de sauce de soja noire

1 cuillerée à soupe de sucre en poudre

2 cuillerées à soupe de pâte ou de curry Madras

1 cuillerée à café de sel

1/2 cuillerée à café de poivre noir fraîchement moulu

2 cuillerées à soupe de jus de citron vert

1 poignée de feuilles de coriandre fraîche et de basilic

1 Faites cuire les nouilles 3 à 5 minutes dans une grande casserole d'eau bouillante jusqu'à ce qu'elles soient tendres. Égouttez-les et mettez-les de côté.

2 Pelez les tiges de lemon-grass (ne conserver que la partie tendre et blanche). Coupez la en morceaux de 7,5 cm et écrasez-les avec le plat d'un gros couteau. Coupez le poulet en lamelles.

3 Faites chauffer une grande casserole et versez l'huile. Quand elle commence à fumer, ajoutez l'oignon, l'ail et le lemon-grass et faites-les revenir pendant 3 minutes. Incorporez le bouillon de poulet et le lait de coco, baissez le feu, puis couvrez et laissez mijoter 10 minutes.

5 Retirez le lemon-grass à l'aide
d'une écumoire. Ajoutez en
remuant le jus de citron vert,
puis versez la soupe dans
une grande soupière, décorez
avec les feuilles de coriandre
et de basilic et servez
immédiatement.

4 Ajoutez les piments,
le poulet, la sauce de
poisson, la sauce de soja,
le sucre, la pâte ou la poudre
de curry, le sel et le poivre,

et remuez bien. Ajoutez les
nouilles égouttées, puis
couvrez et laissez mijoter
pendant 5 minutes.

Soupe de poulet au coco

La noix de coco est l'ingrédient caractéristique d'une authentique cuisine thaïe. Cette soupe, appelée *tom kha gai*, possède une consistance riche qui évoque celle de la crème ; en fait, elle est due au lait de coco, dont l'épaisseur et l'arôme ajoutent tant à ce plat, qui constitue presque un repas à lui tout seul. Cette soupe est souvent confectionnée avec des blancs, et non des cuisses de poulet ; je trouve pourtant que ces dernières, plus savoureuses et plus consistantes, font de cette soupe un mets plus riche et plus substantiel, beaucoup plus en accord avec la tradition thaïe.

Pour 4 personnes
Préparation : 10 minutes
Cuisson : 1 heure 45

2 tiges de lemon-grass frais

1,5 l de bouillon de poulet fait maison, ou acheté

2 cuillerées à soupe de galanga ou de gingembre frais grossièrement haché

6 feuilles de limes de Cafre, ou deux cuillerées à soupe de leur zeste haché

6 cuillerées à soupe d'échalotes émincées

225g de cuisses de poulet désossées et sans la peau

3 cuillerées à soupe de sauce de poisson *(nam pla)*

4 cuillerées à soupe de jus de citron vert

2 piments thaïs rouges ou verts frais, épépinés et coupés en fines lamelles

1 cuillerée à soupe de sucre en poudre

40 cl de lait de coco en conserve

Une poignée de feuilles de basilic frais, thaï ou ordinaire.

1 Pelez les tiges de lemon-grass de façon à retirer les couches extérieures et à ne conserver que la partie centrale, tendre et blanche. Coupez cette dernière en morceaux de 7,5 cm et écrasez-les avec le plat d'un gros couteau.

2 Mettez le bouillon dans une grande casserole avec le lemon-grass, la galanga ou le gingembre, les feuilles ou le zeste de lime de Cafre, et la moitié des échalotes. Portez à ébullition, puis baissez le feu, couvrez et laissez mijoter doucement pendant 1 heure. Passez le bouillon à l'aide d'un tamis en retirant le lemon-grass, la galanga, le zeste et les échalotes, puis reversez-le dans la casserole.

3 Coupez le poulet en gros morceaux de 2,5 cm et mettez-les dans le bouillon, avec la sauce de poisson, le jus de citron vert, les piments, le sucre, le lait de coco et le reste des échalotes.

4 Portez à ébullition, puis baissez le feu et laissez mijoter 8 minutes. Transvasez la soupe dans une grande soupière, décorez avec les feuilles de basilic et servez immédiatement.

Rouleaux de printemps

Bien que l'influence chinoise soit évidente dans cette recette, chaque bouchée recèle une saveur typiquement thaïe – une note piquante qu'on ne trouve pas dans les rouleaux de printemps chinois classiques.
Leur nom thaïlandais est *poh piah tod.*

Pour environ 30 rouleaux
Préparation : 30 minutes
Cuisson : 25 minutes

5 cuillerées à soupe de farine ordinaire

1 paquet de petites feuilles de galette de riz rondes

45 cl d'huile végétale pour la friture

Pour la sauce d'accompagnement :

2 ou 3 petits piments thaïs rouges frais, hachés menu (après les avoir épépinés si vous préférez une saveur plus douce)

1 cuillerée à soupe de sucre en poudre

3 cuillerées à soupe de sauce de poisson *(nam pla)* ou de sauce de soja claire

3 cuillerées à soupe de jus de citron vert

2 cuillerées à café d'eau

Pour la garniture :

1 1/2 cuillerée à soupe d'huile végétale

3 cuillerées à soupe d'ail grossièrement haché

175 g de chair de crabe fraîche

100 g de porc haché

100 g de crevettes crues décortiquées, émincées ou hachées menu

2 cuillerées à soupe de sauce de poisson *(nam pla)*

1 cuillerée à soupe de sauce de soja claire

1 cuillerée à café de sucre en poudre

1/2 cuillerée à café de poivre noir fraîchement moulu

3 cuillerées à café de coriandre fraîche hachée menu

1 Dans un petit saladier, mélangez tous les ingrédients destinés à la sauce d'accompagnement. Mettez de côté jusqu'au moment de servir.

2 Confectionnez la garniture. Faites chauffer à feu fort un wok et versez-y l'huile. Quand elle commence à fumer, rajoutez l'ail et faites-le revenir pendant 30 secondes.

3 Ajoutez le crabe, le porc, les crevettes, la sauce de poisson, la sauce de soja, le sucre et le poivre noir, et faites cuire ce mélange à feu vif pendant 2 minutes. Retirez le wok du feu et ajoutez en remuant la coriandre fraîche. Laissez refroidir complètement.

4 Mettez la farine dans un petit saladier, ajoutez 6 cuillerées à soupe d'eau et mélangez jusqu'à former une pâte. Réservez.

5 Remplissez d'eau chaude un grand bol. Trempez une feuille de galette de riz dans l'eau jusqu'à ce qu'elle soit ramollie, puis retirez-la et égouttez-la sur un torchon.

6 Déposez environ une cuillerée à soupe de la farce sur la galette de riz. Rabattez le bord inférieur sur le bord supérieur et les bords gauche et droit, puis enroulez étroitement le tout et fermez hermétiquement à l'aide une petite quantité de pâte de farine.

Vous obtenez un rouleau d'environ 5 cm de longueur. Répétez la même opération avec le reste des galettes de riz et de la farce. Vous devrez peut-être changer l'eau de temps en temps, car elle aura refroidi.

7 Faites chauffer l'huile et faites frire plusieurs rouleaux de printemps à la fois pendant 3 minutes, jusqu'à ce qu'ils soient bien dorés. (N'en faites pas frire une trop grande quantité en même temps, car ils ont tendance à coller les uns aux autres. Si cela arrive, séparez-les après cuisson). Égouttez-les sur du papier absorbant, et servez-les chauds avec la sauce.

Salade de papaye verte épicée

Dans un pays chaud et humide comme la Thaïlande, on sert souvent des salades telles que cette *som tam*. Leur fraîcheur épicée en fait le contrepoids idéal aux plats plus lourds. La papaye verte constitue l'ingrédient le plus adapté à cette recette, parce qu'elle est légèrement acide et possède le croquant d'une pomme fraîche. À servir en entrée ou en accompagnement.

Pour 4 personnes
Préparation : 15 minutes

1 papaye verte fraîche

2 petits piments thaïs verts et rouges frais, épépinés et hachés

2 têtes d'ail écrasées

2 cuillerées à soupe d'échalotes hachées

1/2 cuillerée à café de sel

2 cuillerées à soupe de jus de citron vert

1 cuillerée à soupe de sauce de poisson *(nam pla)*

1 cuillerée à soupe de sucre en poudre

Pour décorer :

3 ou 4 cuillerées à soupe de cacahuètes grillées et broyées

2 petits piments thaïs rouges, frais, épépinés et coupés en lanières (facultatif)

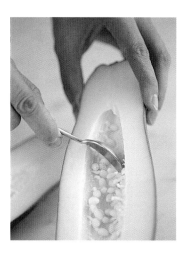

1 Pelez la papaye et coupez-la en deux dans le sens de la longueur. Retirez les pépins et coupez la chair en fines lamelles.

2 Mettez les piments, l'ail, les échalotes et le sel dans un mortier. Ajoutez un quart des lamelles de papaye et écrasez-les doucement avec le pilon jusqu'à obtenir une pâte assez molle (si vous ne possédez pas de mortier et de pilon, mélangez simplement les ingrédients dans un récipient et écrasez-les contre l'une de ses parois à l'aide d'une cuillère en bois). Ajoutez progressivement tout le reste des lamelles de papaye.

3 Ajoutez le jus de citron vert, la sauce de poisson et le sucre. Mélangez soigneusement et disposez dans un saladier. Décorez avec les cacahuètes broyées et les lanières de piment, si vous avez choisi d'en ajouter.

Raviolis chinois à la sauce de piments doux

Les amoureux de la cuisine chinoise connaissent bien les raviolis chinois (*wontons*) mais leur version thaïlandaise, appelée *kiew grob thai*, est tout aussi populaire. Ces mets exquis peuvent être préparés à l'avance et congelés avant d'être frits. Entrée parfaite pour un repas thaï, on peut aussi les servir à l'apéritif. Rien ne vaut le goût d'une sauce faite maison telle que celle indiquée ci-dessous. Elle peut être conservée au réfrigérateur pendant une semaine.

Pour 6 personnes
Préparation : 45 minutes
Cuisson : 30 minutes

225 g de feuilles de pâte à raviolis, surgelées si nécessaire

60 cl d'huile végétale pour la friture

Pour la sauce de piments doux :

175 g de gros piments frais hachés menu (épépinés si vous préférez une saveur plus douce)

3 cuillerées à soupe d'ail grossièrement haché

1 cuillerée à soupe de sucre en poudre

1 cuillerée à soupe de vinaigre de riz blanc ou de vinaigre de malt

1 cuillerée à soupe de sauce de poisson (*nam pla*)

1 cuillerée à soupe d'huile végétale

Sel à volonté

15 cl d'eau

Pour la farce :

100 g de crevettes crues, décortiquées, débarrassées de leur nervure centrale et grossièrement hachées (page 15)

350 g de porc haché (pas trop mince)

2 cuillerées à café de sel

1 cuillerée à café de poivre noir fraîchement moulu

2 cuillerées à soupe d'ail haché menu

3 cuillerées à soupe d'oignons nouveaux hachés menu

2 cuillerées à soupe de sauce de poisson (*nam pla*)

1 cuillerée à café de sucre en poudre

3 cuillerées à soupe de coriandre fraîche hachée menu

1 œuf légèrement battu

1 Mettez tous les ingrédients destinés à la sauce dans un wok et portez à ébullition. Baissez le feu au maximum, couvrez et laissez mijoter un quart d'heure. Retirez du feu et laissez refroidir.

2 Broyez ce mélange à l'aide
d'un mixeur jusqu'à obtenir
une pâte lisse. Réchauffez-le
3 minutes dans un wok ou
une casserole pour faire
ressortir sa saveur, et ajoutez
plus de sel si nécessaire. Une
fois refroidi, vous pouvez
l'utiliser immédiatement ou
le conserver au réfrigérateur.

3 Préparez ensuite la farce des
raviolis. Mettez les crevettes
et le porc dans une jatte,
ajoutez le sel et le poivre et
mélangez bien, soit en
pétrissant à la main, soit en
remuant à l'aide d'une
cuillère en bois.

4 Préparez ensuite la farce des
 raviolis. Mettez les crevettes
et le porc dans une jatte,
ajoutez le sel et le poivre et
mélangez bien, soit en
pétrissant à la main, soit en
remuant à l'aide d'une
cuillère en bois.

6 Faites chauffer à feu fort un wok ou une grande poêle et versez-y l'huile. Quand elle est chaude, ajoutez une poignée de raviolis et faites-les frire 3 minutes, jusqu'à ce qu'ils soient dorés et croustillants (si l'huile devient trop chaude, baissez légèrement le feu). Égouttez bien les raviolis sur du papier absorbant et faites frire les autres.
Servez immédiatement, avec la sauce de piments doux.

5 Pour farcir les raviolis, placez au centre de chacun environ une cuillerée de farce. Humectez les bords avec un peu d'eau et rabattez-les tout autour de la farce.

Pincez chaque coin supérieur et enroulez-le autour de lui-même de façon à fermer hermétiquement le ravioli ; il doit ressembler à un petit sac rempli.

Crevettes frites

Ce plat thaï, appelé *ghoong tod*, se caractérise par son goût extrêmement subtil. Tout le secret réside dans la marinade des crevettes. Après, leur préparation est d'une simplicité enfantine : on les fait frire très rapidement.

Pour 4 personnes
Préparation : 30 minutes,
   plus 2 heures pour la marinade
Cuisson : 15 minutes

450 g de crevettes crues, décortiquées et débarrassées de leur nervure centrale

Farine ordinaire pour le saupoudrage

60 cl d'huile végétale pour la friture

Pour la marinade :

3 piments rouges séchés hachés

2 cuillerées à soupe d'échalotes hachées

3 cuillerées à soupe d'ail grossièrement haché

2 cuillerées à soupe de galanga ou de gingembre frais haché menu

3 cuillerées à soupe de racines ou de tiges de coriandre fraîche hachées

1 cuillerée à soupe de sauce de poisson *(nam pla)*

1 cuillerée à soupe de jus de citron vert

5 cl de lait de coco en conserve

2 cuillerées à café d'eau

1 Passez rapidement au mixeur tous les ingrédients destinés à la marinade. Versez-la sur les crevettes et mélangez bien. Laissez refroidir au moins 2 heures.

2 Égouttez les crevettes de façon à les débarrasser de la marinade, et jetez-la. Saupoudrez les crevettes de farine, en retirant l'excédent.

3 Faites chauffer à feu fort un wok ou une grande poêle et versez-y l'huile. Quand elle commence à fumer, faites frire une poignée de crevettes pendant 3 minutes, jusqu'à ce qu'elles soient dorées et croustillantes. Si l'huile devient brûlante, baissez légèrement le feu. Égouttez bien les crevettes sur du papier absorbant et faites frire le reste. Servez immédiatement.

Beignets de maïs

Voici une entrée particulièrement alléchante – un savoureux mélange de maïs et de porc frits produisant de croustillantes bouchées. Afin de gagner du temps si vous recevez du monde, vous pouvez les faire frire rapidement à l'avance, puis les replonger dans l'huile bouillante juste avant de les déguster. Servez-les avec de la sauce aux piments doux. Leur nom thaï est *tod mun khao phod*.

Pour 4 à 6 personnes
Préparation : 15 minutes
Cuisson : 15 minutes

450 g d'épis de maïs frais, ou 275 g de maïs en conserve

175 g de porc haché (pas trop maigre)

2 cuillerées à soupe de coriandre fraîche hachée menu

2 cuillerées à soupe d'ail haché menu

2 cuillerées à soupe de sauce de poisson *(nam pla)*

1/2 cuillerée à café de poivre blanc fraîchement moulu

1 cuillerée à café de sucre en poudre

1 cuillerée à soupe de farine de maïs

2 œufs battus

60 cl d'huile végétale pour la friture

Pour décorer :

1 poignée de brins de coriandre fraîche

1 petit concombre pelé et coupé en tranches fines

1 Si vous employez des épis de maïs, débarrassez-les de leur enveloppe et de la soie, et détachez les grains avec un couteau pointu ou un hachoir. Il devrait vous rester 275 g de maïs. Si vous utilisez du maïs en conserve, égouttez-le bien.

2 Mettez la moitié du maïs dans un mixeur et ajoutez les autres ingrédients à l'exception de l'huile. Broyez ce mélange, puis versez-le dans un saladier et ajoutez le reste du maïs en remuant.

3 Faites chauffer à feu fort un wok ou une grande poêle, et versez-y l'huile. Quand elle commence à fumer, versez une louche du mélange à base de maïs. Recommencez jusqu'à ce que le wok soit plein. Baissez le feu et laissez cuire 1 à 2 minutes jusqu'à ce que le dessous des beignets soit doré, puis retournez ces derniers et faites frire l'autre côté.

4 Retirez les beignets du wok à l'aide d'une écumoire et égouttez-les sur du papier absorbant. Gardez-les au chaud pendant que vous faites frire le reste des beignets. Disposez-les sur un plat et décorez avec la coriandre et les tranches de concombre. Servez immédiatement.

Salade de pomélo épicée

Le pomélo ressemble à un pamplemousse, mais il est plus gros, dépourvu de pépins et doté d'une peau plus épaisse. Il est très apprécié en Thaïlande, surtout dans les salades telles que la *yam som-o*, dans laquelle l'acidité du fruit et le goût prononcé des piments donnent un plat épicé et rafraîchissant. Pour une salade complètement végétarienne, ne mettez pas de crevettes séchées et remplacez la sauce de poisson par de la sauce au soja. Si vous ne trouvez pas de pomélos, remplacez-les par des pamplemousses.

Pour 4 personnes
Préparation : 20 minutes
Cuisson : 1 minute

1 gros pomélo

2 cuillerées à soupe d'huile végétale

3 cuillerées à soupe d'échalotes émincées

3 cuillerées à soupe d'ail émincé

2 petits piments thaïs rouges frais, épépinés et hachés

3 cuillerées à soupe de cacahuètes grillées et broyées

3 cuillerées à soupe d'oignons nouveaux coupés en fines lamelles

2 cuillerées à soupe de crevettes séchées hachées

2 cuillerées à soupe de jus de citron vert

1 cuillerée à soupe de sauce de poisson *(nam pla)*

1 cuillerée à soupe de sucre en poudre

1 poignée de feuilles de coriandre fraîche

1 Pelez le pomélo et séparez-le en quartiers en retirant la peau blanche qui le recouvre. Coupez délicatement ces quartiers en morceaux et mettez-les dans un saladier.

2 Faites chauffer un wok ou une grande poêle, et versez-y l'huile. Quand elle est bien chaude, mettez-y les échalotes et l'ail et faites-les revenir à feu vif jusqu'à ce qu'ils soient bien dorés. Retirez-les et égouttez-les sur du papier absorbant.

4 Mélangez le jus de citron vert, la sauce de poisson et le sucre dans un petit bol. Versez ce mélange sur le mélange confectionné à l'étape précédente, et remuez bien. Décorez avec les feuilles de coriandre, disposez sur un plat et servez.

3 Ajoutez au pomélo les échalotes et l'ail dorés, puis les piments, les cacahuètes, les oignons nouveaux, les crevettes séchées, et mélangez.

POISSONS et
FRUITS de MER

Beignets de poisson épicés

Quoi de plus tentant que ces délicieux beignets de poisson, appelés *thod mun pla* ? Les Thaïlandais les consomment chez eux, au restaurant, ou dans la rue, où ce sont des marchands ambulants qui les vendent. Certains ressemblent à de petits ballons et sont pochés dans des soupes.

Dans cette recette-ci, on les fait frire doucement jusqu'à ce qu'ils soient croustillants, et ils sont imprégnés des arômes exotiques de la cuisine thaïe. Servis immédiatement après cuisson dans le wok, ils constituent une entrée de choix, surtout accompagnés d'une salade. En Thaïlande, ils font souvent partie du plat principal.

Pour 4 personnes
Préparation : 30 minutes
Cuisson : 15 minutes

450 g de filets de poisson blanc tel que cabillaud, bar ou flétan, sans la peau

2 œufs battus

1/2 cuillerée à café de poivre blanc fraîchement moulu

1 cuillerée à soupe de pâte de curry rouge

3 feuilles de lime de Cafre coupées en lanières, ou 2 cuillerées à soupe de zeste haché menu

2 cuillerées à soupe de sauce de poisson *(nam pla)*

1 cuillerée à soupe de farine de blé

2 cuillerées à café de sucre en poudre

2 cuillerées à soupe de coriandre fraîche hachée

50 g de haricots verts hachés

45 cl d'huile d'arachide pour la friture

Pour la salade de concombre :

450 g de concombre

3 cuillerées à soupe de sauce de poisson *(nam pla)* ou de sauce de soja claire

3 cuillerées à soupe de jus de citron vert

3 cuillerées à soupe d'eau

2 cuillerées à soupe de sucre en poudre

1 gros piment rouge frais, épépiné et émincé

3 cuillerées à soupe d'échalotes émincées

1 Commencez par préparer la salade de concombre. Pelez le concombre et coupez-le en deux dans le sens de la longueur, puis retirez les pépins à l'aide d'une cuillère à café. Coupez les moitiés du concombre en fines lamelles.

2 Dans un saladier, mélangez la sauce de poisson ou de soja, le jus de citron, l'eau et le sucre, et remuez jusqu'à ce que le sucre soit dissous.

3 Ajoutez le concombre, le piment et les échalotes, et mélangez bien. Laissez reposer au moins 20 minutes avant de servir.

4 Coupez les filets de poisson en morceaux de 2,5 cm environ. Mettez-les, ainsi que les œufs, le poivre blanc et la pâte de curry dans un robot, et broyez jusqu'à obtenir une pâte lisse (si vous utilisez un mixeur, procédez au mélange des ingrédients en l'allumant et l'éteignant alternativement, sinon vous obtiendrez une pâte caoutchouteuse).

5 Mettez ce mélange dans une jatte et incorporez les lamelles de feuilles ou le zeste de lime de Cafre, la sauce de poisson, la farine de blé, le sucre, la coriandre et les haricots verts.

6 Sur une surface farineuse, formez avec le mélange des boulettes de 6 cm de diamètre environ à l'aide d'une spatule.

7 Faites chauffer l'huile à feu fort dans un wok. Quand elle commence à fumer, jetez-y les beignets de poisson et faites-les frire 3 minutes jusqu'à ce qu'ils soient dorés. Si l'huile devient trop chaude, baissez légèrement le feu. Égouttez bien les beignets sur du papier absorbant et conservez-les au chaud. Faites frire ceux qui restent. Servez immédiatement avec la salade de concombre.

Poisson à la sauce pimentée

Les lacs et les rivières de Thaïlande abondent en poissons de toutes sortes. Généralement – et c'est le cas de ce *chuchi pla nuea orn* –, on les prépare avec des sauces piquantes, qui ne « tuent » cependant pas leur arôme délicat.

Pour 4 personnes
Préparation : 25 minutes
Cuisson : 20 minutes

5 piments rouges séchés

2 cuillerées à soupe d'huile végétale

100 g d'ail pelé et haché

100 g d'échalotes hachées menu

1 cuillerée à soupe de pâte de crevettes

2 cuillerées à soupe de sauce de poisson *(nam pla)* ou de sauce de soja claire

2 cuillerées à café de sucre en poudre

4 cuillerées à soupe d'eau

45 cl d'huile végétale pour friture

4 petites truites nettoyées

Farine ordinaire pour le saupoudrage

Brins de coriandre fraîche pour la décoration

1 Trempez les piments séchés environ 5 minutes dans l'eau chaude jusqu'à ce qu'ils soient ramollis. Égouttez-les bien et hachez-les menu.

2 Faites chauffer l'huile à feu fort. Quand elle commence à fumer, ajoutez les piments, l'ail, les échalotes et la pâte de crevettes. Faites-les revenir à feu vif pendant 2 minutes, puis incorporez la sauce de poisson ou la sauce de soja, le sucre et l'eau. Retirez du feu et versez dans un grand bol.

3 Nettoyez le wok en l'essuyant, ajoutez l'huile pour la friture et faites chauffer. Nettoyez complètement l'intérieur de la truite avec du papier absorbant. Saupoudrez l'extérieur de farine, en enlevant tout excédent.

4 Quand l'huile est très chaude et commence à fumer, baissez à feu moyen et faites frire la truite de chaque côté pendant environ 4 minutes, jusqu'à ce qu'elle soit dorée et croustillante (vous devrez peut-être le faire en deux fois). Retirez la truite de la poêle et égouttez-la sur du papier absorbant. Disposez-la sur un plat, décorez avec les brins de coriandre et servez avec la sauce pimentée.

Poisson frit
à la salade de mangue

Pla samlee thod krob gub yam mamuang constitue une combinaison classique d'arômes et de textures. Le poisson frais est frit jusqu'à ce qu'il soit croustillant, puis servi avec une salade de mangue verte croquante. Le résultat est fantastique !

Pour 4 personnes
Préparation : 20 minutes
Cuisson : 5 à 12 minutes

1 mangue verte fraîche

2 ou 3 petits piments thaïs rouges frais, épépinés et coupés en lamelles

2 cuillerées à soupe d'échalotes émincées

2 cuillerées à soupe de jus de citron vert

1 cuillerée à soupe de sauce de poisson *(nam pla)*

1 cuillerée à soupe de sucre en poudre

900 g de poisson blanc ferme, tel que le bar, ou 450 g de filets de poisson blanc sans la peau, et coupés en 4 morceaux

Farine ordinaire pour le saupoudrage

45 cl d'huile végétale pour friture

3 à 4 cuillerées à soupe de cacahuètes grillées et broyées

1 Pelez la mangue, séparez la chair du noyau, puis coupez-la en fines lamelles.

2 Mélangez ces lamelles avec les piments, les échalotes, le jus de citron vert, la sauce de poisson et le sucre. Mettez de côté.

3 Si le poisson est entier, faites 3 profondes entailles sur chaque face. Sécher sur du papier absorbant et saupoudrez de farine, en retirant tout excédent.

4 Faites chauffer à feu fort un wok et versez-y l'huile. Quand elle est très chaude, mettez-y le poisson et faites-le frire jusqu'à ce qu'il soit bien doré – au bout de 10 à 12 minutes pour un grand poisson entier, ou 5 minutes pour des filets. Retirez-le et égouttez-le immédiatement sur du papier absorbant. Décorez avec les cacahuètes broyées et servez avec la salade de mangue.

Poisson au lait de coco

Pour préparer ce plat traditionnel, appelé *pla tom gathi*, on fait cuire doucement à la vapeur un poisson entier, de façon à préserver sa succulence, son arôme subtil et sa consistance délicate. On lui associe ensuite une sauce à la noix de coco aromatique. Un riz cuit à la vapeur tout simple accompagnera merveilleusement le tout. À la place d'un poisson entier, on peut également utiliser 450 g de filets de poisson blancs et fermes ; il faudra alors réduire le temps de cuisson d'environ 5 minutes s'il s'agit d'un poisson plat tel que la sole, et de 10 à 12 minutes si c'est un poisson plus épais comme le cabillaud.

Pour 4 personnes
Préparation : 15 minutes
Cuisson : 1 heure 20

2 tiges de lemon-grass frais

2 cuillerées à soupe de galanga ou de gingembre frais grossièrement haché

6 feuilles de lime de Cafre ou 2 cuillerées à soupe de leur zeste grossièrement haché

6 racines de coriandre fraîche (facultatif)

40 cl de lait de coco en conserve

900 g de poisson blanc et ferme tel que bar, cabillaud ou flétan, nettoyé

3 cuillerées à soupe d'échalotes émincées

3 cuillerées à soupe de sauce de poisson *(nam pla)*

2 cuillerées à soupe de jus de citron vert

1 cuillerée à soupe de sucre en poudre

Une poignée de feuilles de coriandre fraîche

1 Pelez les tiges de lemon-grass jusqu'à ne conserver que la partie centrale, tendre et blanche. Coupez-les en morceaux de 7,5 cm et écrasez-les avec le plat d'un couteau à large lame.

2 Mettez le lemon-grass, la galanga ou le gingembre, les feuilles ou le zeste de lime de Cafre, les racines de coriandre (éventuellement) et le lait de coco dans une casserole et portez à ébullition. Baissez le feu, puis couvrez et laissez mijoter 1 heure. Filtrez ce mélange.

3 Tamponnez le poisson avec du papier absorbant pour le sécher et, de chaque côté, incisez sa peau en plusieurs endroits.

4 Allumez l'autocuiseur, ou placez une grille dans un wok ou une poêle profonde, et remplissez ce récipient de 5 cm d'eau. Faites chauffer à feu fort jusqu'à ébullition. Transférez le poisson sur un plat résistant à la chaleur, nappez-le avec le mélange à base de lait de coco, puis ajoutez les échalotes, la sauce de poisson, le jus de citron et le sucre. Mettez ce plat dans l'autocuiseur ou sur la grille. Couvrez hermétiquement et laissez cuire doucement le poisson à la vapeur pendant 15 à 20 minutes, jusqu'à ce qu'il soit tout juste cuit. Retirez-le de l'autocuiseur, décorez avec les feuilles de coriandre et servez aussitôt.

Calamars sautés aux piments et au basilic

Les cuisiniers thaïs sont les spécialistes des fruits de mer, en particulier des calamars. Ce plat sauté aromatique, *pla muk phat bai krapao* en thaïlandais, est l'un des plus faciles à cuisiner. Il est parfumé aux piments, au basilic et à l'ail – mélange qui constitue l'essence même de la cuisine thaïe. Une fois qu'on a préparé les calamars, 10 minutes suffisent pour confectionner ce plat. Pour une saveur maximale, retardez le plus possible le moment de la cuisson.

Pour 4 personnes
Préparation : 30 minutes
Cuisson : 10 minutes

Un calamar frais de 675 g (ou 450 g de calamars surgelés, décongelés et nettoyés)

175 g de petits pois frais ou surgelés

1 cuillerée à soupe d'huile végétale

4 cuillerées à soupe d'ail grossièrement haché

3 cuillerées à soupe d'échalotes émincées

2 ou 3 petits piments thaïs rouges, frais, épépinés et hachés

1 cuillerée à soupe de sauce de poisson *(nam pla)*

2 cuillerées à soupe de sauce d'huître

2 cuillerées à soupe de sucre en poudre

1 poignée de feuilles de basilic frais, thaï ou ordinaire

1 Séparez la tête et les tentacules du corps des calamars ; les intestins devraient venir avec. Puis retirez la peau fine et violacée.

2 Fendez le corps en deux ; retirez la partie transparente et cartilagineuse. Lavez soigneusement les deux parties du corps à l'eau froide et coupez-les en lanières de 4 cm de long.

3 Séparez les tentacules de la tête en les tranchant juste au-dessus des yeux (retirez également, si nécessaire, le polype, ou bec, qui se trouve au centre de l'anneau des tentacules). Jetez la tête et gardez les tentacules.

4 Si vous utilisez des petits pois frais, faites-les blanchir 3 minutes dans l'eau bouillante salée, puis égouttez-les et mettez-les de côté. S'ils sont surgelés, faites-les décongeler.

5 Faites chauffer à feu fort un wok ou une grande poêle, et versez-y l'huile. Quand elle commence à fumer, faites revenir l'ail pendant 1 minute, jusqu'à ce qu'il soit légèrement doré. Retirez-le avec une écumoire et égouttez-le sur du papier absorbant.

6 Mettez les lanières de
calamar et les tentacules
dans le wok et faites-les cuire
à feu vif pendant 1 minute,
jusqu'à ce qu'elles
commencent à devenir
opaques.

7 Ajoutez les échalotes, les
piments, les petits pois, la
sauce de poisson, la sauce
d'huître et le sucre, et faites
cuire à feu vif pendant 3
minutes. Ajoutez en remuant
le basilic et mélangez une
dernière fois. Transférez ce
mélange sur un plat, décorez
avec l'ail frit et servez
immédiatement.

Crevettes au curry rouge

C'est la version savoureuse d'un plat thaïlandais classique appelé *gaeng phed ghoong*. Une fois la sauce confectionnée, ces crevettes seront prêtes en quelques minutes. Servez-les accompagnées de riz nature cuit à la vapeur (page 17).

(page 17)

Pour 4 personnes
Préparation : 20 minutes
Cuisson : 20 minutes

1 cuillerée à soupe d'huile végétale

3 cuillerées à soupe d'ail grossièrement haché

2 cuillerées à soupe d'échalotes émincées

2 cuillerées à café de graines de cumin

1 cuillerée à café de pâte de crevettes

1 1/2 cuillerée à soupe de pâte de curry rouge

40 cl de lait de coco en conserve

1 cuillerée à soupe de sauce de poisson *(nam pla)* ou de sauce de soja claire

2 cuillerées à café de sucre en poudre

1 petite poignée de feuilles de basilic frais, thaï ou ordinaire, coupées en lanières

4 feuilles de limes de Cafre ou 1 cuillerée à soupe de leur zeste coupé en lanières

450 g de crevettes crues, décortiquées et débarrassées de leur nervure centrale

1 poignée de feuilles de coriandre fraîche

1 Faites chauffer à feu fort un wok, et versez-y l'huile. Quand elle est très chaude, ajoutez l'ail, les échalotes et les graines de cumin et faites-les revenir pendant 5 minutes. Ajoutez la pâte de crevettes et la pâte de curry, et faites cuire à feu vif pendant 2 minutes.

2 Incorporez le lait de coco, la sauce de poisson ou la sauce de soja, le sucre, les feuilles de basilic et les feuilles ou le zeste de lime de Cafre. Baissez le feu et laissez mijoter 5 minutes.

3 Ajoutez les crevettes et faites
cuire le mélange 5 minutes
en remuant de temps en
temps. Ajoutez les feuilles de
coriandre et remuez bien,
puis servez.

Crevettes au curry vert

Ce plat délicieux, appelé *gaeng kheow wan ghoong*, est rapide et facile à confectionner. Le goût très fort du curry vert est adouci par la saveur onctueuse et la consistance riche du lait de coco.

Accompagnez-le de riz nature cuit à la vapeur, et vous obtiendrez un merveilleux repas.

Pour 4 personnes
Préparation : 15 minutes
Cuisson : 15 minutes

1 tige de lemon-grass frais

1 1/2 cuillerée à soupe d'huile végétale

2 cuillerées à soupe de pâte de curry vert

Lambeaux de 4 feuilles de lime de Cafre ou 1 cuillerée à soupe de leur zeste coupé en lanières

2 cuillerées à soupe de sauce de poisson *(nam pla)* ou de sauce de soja claire

2 cuillerées à soupe de sucre en poudre

40 cl de lait de coco en conserve

450 g de crevettes crues, décortiquées et débarrassées de leur nervure centrale (page 15)

1 petite poignée de feuilles de basilic frais, thaï ou ordinaire, coupées en lanières

1 Pelez les tiges de lemon-grass jusqu'à ne conserver que la partie centrale, tendre et blanche, et émincez-la.

2 Faites chauffer un wok ; quand ce récipient est très chaud, versez-y l'huile. Ajoutez la pâte de curry vert et faites-la cuire à feu vif pendant 2 minutes.

4 Ajoutez les crevettes et faites-les cuire 5 minutes en remuant de temps en temps. Ajoutez ensuite les feuilles de basilic, remuez bien le mélange, et servez.

3 Ajoutez le lemon-grass, les feuilles ou le zeste de lime de Cafre, la sauce de poisson ou la sauce de soja, le sucre et le lait de coco. Baissez le feu et laissez mijoter 5 minutes.

Clams braisés aux piments et au basilic

Les clams cuisent rapidement et possèdent un goût de fruits de mer très prononcé, que l'ajout de basilic frais et des piments accentue encore. Si vous ne parvenez pas à trouver des clams, vous pouvez leur substituer des moules ; ce plat, *hoy lai phad prik* en thaïlandais, sera tout aussi délicieux.

Pour 4 personnes
Préparation : 20 minutes
Cuisson : 7 minutes

1kg de clams frais

1 1/2 cuillerée à soupe d'huile végétale

3 cuillerées à soupe d'ail grossièrement haché

3 gros piments rouges ou verts frais, épépinés et coupés en lamelles

2 cuillerées à soupe d'échalotes hachées menu

2 cuillerées à soupe de sauce de poisson *(nam pla)* ou de sauce de soja

1 poignée de feuilles de basilic frais, thaï ou ordinaire

1 Nettoyez bien les clams en les grattant sous l'eau froide ; jetez tous ceux qui sont ouverts et ne se referment pas quand on les cogne légèrement contre le wok.

2 Faites chauffer à feu fort un wok et versez-y l'huile. Quand elle commence à fumer, mettez-y l'ail, les échalotes, les piments et les clams, et faites cuire 3 ou 4 minutes jusqu'à ce que les clams commencent à s'ouvrir.

3 Ajoutez la sauce de poisson ou la sauce de soja, puis baissez le feu, couvrez le wok et laissez cuire 3 minutes. Ajoutez en remuant les feuilles de basilic, puis servez immédiatement.

Moules à la noix de coco

Les plats à base de fruits de mer sont faciles à préparer et il suffit de leur associer un assaisonnement typiquement thaï pour qu'ils deviennent un véritable régal. Quoi de plus simple que cette recette à base de moules ? Ce plat, connu en Thaïlande sous le nom de *hoy malaeng pooh gathi,* est extrêmement savoureux et se confectionne en quelques minutes – ce qui est idéal si vous recevez de nombreux invités.

Pour 4 à 6 personnes
Préparation : 25 minutes
Cuisson : 10 minutes

1,5 kg de moules fraîches

2 tiges de lemon-grass frais

40 cl de lait de coco en conserve

3 cuillerées à soupe d'eau

3 feuilles de limes de Cafre ou 1 cuillerée à soupe de leur zeste coupé en lanières

2 cuillerées à soupe d'oignons nouveaux grossièrement hachés

1 cuillerée à soupe de pâte de curry vert

3 cuillerées à soupe de racines ou de tiges de coriandre hachée

2 cuillerées à soupe de sauce de poisson *(nam pla)*

1 cuillerée à café de sucre en poudre

1 grosse poignée de feuilles de basilic frais, thaï ou ordinaire, coupées en lanières

1 Nettoyez les moules sous l'eau froide, en retirant toutes les bernaches à l'aide d'un petit couteau. Enlevez et jetez les « barbes » fibreuses. Jetez toutes les moules déjà ouvertes qui ne se referment pas quand vous les cognez légèrement contre un wok.

2 Pelez les tiges de lemon-grass jusqu'à ne conserver que la partie centrale, tendre et blanche. Coupez-les en morceaux de 7,5 cm et écrasez-les avec le plat d'un gros couteau.

3 Versez le lait de coco et l'eau dans un wok . Ajoutez le lemon-grass, les feuilles de lime de Cafre, les oignons nouveaux, la pâte de curry, les racines ou les tiges de coriandre, la sauce de poisson et le sucre, et faites mijoter.

4 Ajoutez les moules, puis couvrez et faites cuire à feu fort pendant 5 minutes, jusqu'à ce que toutes les moules soient ouvertes (jetez toutes celles qui restent fermées). Mélangez le tout, ajoutez les feuilles de basilic et servez.

Fruits de mer au lait de coco

On y trouve en Thaïlande, quantité de plats de poissons et de crustacés relativement bon marché tels que celui-ci, appelé *hor mok talay* en thaïlandais. Des condiments au goût prononcé et le lait de coco riche mettent en valeur toute la saveur des fruits de mer. Achetez le jour même où vous prévoyez de confectionner ce plat, les produits les plus frais que vous pourrez trouver.

Pour 4 à 6 personnes
Préparation : 30 minutes
Cuisson : 15 minutes

1,5 à 1,6 kg de crabe frais cuit dans sa carapace

175 g de moules fraîches

3 tiges de lemon-grass frais

4 têtes d'ail écrasées

4 cuillerées à soupe d'échalotes émincées

3 cuillerées à soupe de coriandre fraîche hachée

2 petits piments thaïs rouges ou verts frais, épépinés et coupés

1 cuillerée à soupe de grains de poivre noir

2 cuillerées à soupe de zeste de citron vert coupé en lanières

2 boîtes de conserve de 40 cl de lait de coco

175 g de crevettes crues et non décortiquées

175 g de coquilles Saint-Jacques avec la laitance

2 cuillerées à soupe de sauce de poisson *(nam pla)*

2 cuillerées à soupe de jus de citron vert

2 cuillerées à soupe de sucre

1 Si nécessaire, retirez l'opercule osseux du dessous de la carapace du crabe cuit, ainsi que la petite poche stomacale et ses appendices. À l'aide d'un gros couteau ou d'un hachoir, coupez le crabe en gros morceaux, avec sa carapace.

2 Nettoyez les moules à l'eau froide en retirant toutes les bernaches à l'aide d'un petit couteau. Enlevez et jetez les « barbes » fibreuses. Jetez toutes les moules déjà ouvertes qui ne se referment pas quand vous les cognez légèrement contre un wok.

3 Pelez les tiges de lemon-grass. Hachez-les menu dans un mixeur avec l'ail, les échalotes, la coriandre, les piments, les grains de poivre noir et le zeste de citron vert. Ajoutez environ 3 cuillerées à soupe du lait de coco et broyez le tout jusqu'à obtenir une pâte.

4 Versez le reste du lait de coco dans un wok et portez à ébullition. Baissez le feu, ajoutez en remuant la pâte épicée et laissez mijoter 3 minutes.

5 Ajoutez le crabe, les moules, les crevettes, les coquilles Saint-Jacques, la sauce de poisson, le jus de citron vert et le sucre, puis couvrez et laissez mijoter 10 minutes. Transférez sur un grand plat et servez. Peut-être trouverez-vous plus pratique de manger le crabe, les crevettes et les moules avec vos doigts ; dans ce cas, posez sur la table un bol d'eau garni de tranches de citron pour la décoration, afin que vos invités puissent se rincer les mains.

VIANDES et VOLAILLES

Porc au curry rouge

Ce curry thaï, *Gaeng phed moo*, est facile et rapide à préparer.
Il s'agit d'un plat de porc assez classique relevé par des épices
et des condiments.

Pour 4 personnes
Préparation : 10 minutes
Cuisson : 10 minutes

450 g de filet de porc

1 1/2 cuillerée à soupe d'huile
végétale

2 cuillerées à soupe de pâte
de curry rouge

3 cuillerées à soupe de
galanga ou de gingembre
frais coupé en fines
lanières

1 cuillerée à café de curcuma
moulu

2 cuillerées à soupe d'ail
haché menu

40 cl de lait de coco en
conserve

2 cuillerées à soupe de sauce
de poisson *(nam pla)*

4 feuilles de lime de Cafre ou
1 cuillerée à soupe de leur
zeste coupé en lanières

2 cuillerées à café de sucre
en poudre

1 poignée de feuilles de
basilic frais, thaï ou
ordinaire

1 Coupez le porc en fines
tranches d'environ 5 cm de
longueur et réservez.

2 Faites chauffer à feu modéré
un wok, et versez-y l'huile.
Quand elle est bien chaude,
faites cuire la pâte de curry
pendant 30 secondes.
Ajoutez les tranches de porc,
augmentez le feu et faites-les
sauter jusqu'à ce qu'elles
soient entièrement enrobées
de la pâte de curry. Retirez-
les et mettez-les de côté.

3 Mettez dans le wok, la
galanga ou le gingembre, le
curcuma et l'ail, et faites-les
revenir 10 secondes.
Incorporez le lait de coco, la
sauce de poisson, les feuilles
ou le zeste de lime de Cafre
et le sucre, portez à ébullition
et faites mijoter 5 minutes.

4 Remettez le porc dans cette sauce et laissez-le mijoter 3 minutes ou jusqu'à ce qu'il soit bien cuit. Ajoutez le basilic en remuant, mélangez une dernière fois et servez aussitôt.

Porc à la pâte de crevettes

Dans ce plat appelé *moo phad gapi*, on fait mariner un filet de porc tendre dans une sauce de soja noire et on le parfume à la pâte de crevettes, pour un résultat typiquement thaïlandais. Vous vous régalerez en l'accompagnant de votre plat de légumes sautés préférés et de riz nature cuit à la vapeur.

Pour 4 personnes
Préparation : 10 minutes,
    plus 20 minutes de marinade
Cuisson : 5 minutes

450 g de filet de porc

1 cuillerée à café de sel

1 cuillerée à soupe de sauce de soja noire

1 1/2 cuillerée à soupe d'huile végétale

2 petits piments thaïs rouges ou verts frais, épépinés et coupés en lamelles

1 petit oignon grossièrement haché

2 cuillerées à soupe d'échalotes émincées

2 cuillerées à soupe de sauce de poisson *(nam pla)*

1 cuillerée à soupe de sauce de soja claire

1/2 cuillerée à café de poivre blanc fraîchement moulu

1 cuillerée à café de sucre en poudre

1 1/2 cuillerée à café de pâte de crevettes

1 poignée de feuilles de coriandre fraîche

1 Coupez le porc en fines tranches d'environ 4 cm de longueur et mettez-les dans un récipient. Ajoutez le sel et la sauce de soja noire, mélangez bien et laissez mariner 20 minutes.

2 Faites chauffer à feu fort un wok. Quand il est très chaud, versez-y l'huile. Dès qu'elle commence à fumer, ajoutez les tranches de porc mariné et faites-les revenir 2 minutes. Retirez-les avec une écumoire et égouttez-les dans une passoire.

4 Replacez les tranches de porc
égoutté dans le wok et
faites-les sauter 2 minutes
ou jusqu'à ce qu'elles soient
bien cuites. Ajoutez les
feuilles de coriandre,
mélangez bien et servez
immédiatement.

3 Ajoutez rapidement les
piments, l'oignon et les
échalotes dans le wok et
faites-les revenir 2 minutes.
Puis ajoutez la sauce de
poisson, la sauce de soja
claire, le poivre blanc, le
sucre et la pâte de crevettes.

Bœuf au curry Matsaman

Cette délicieuse recette (*Matsaman Nuea*) vient du Moyen-Orient ; avec l'extension de la religion musulmane, elle est parvenue jusqu'en Thaïlande. La tolérance thaïlandaise à l'égard des influences étrangères a permis aux cuisiniers de préparer ce savoureux curry en y ajoutant les parfums de leur choix. Tâchez de vous procurer de la pâte de curry Matsaman ; vos efforts seront largement récompensés !

Pour 4 à 6 personnes
Préparation : 15 minutes
Cuisson : 2 heures 1/4

2 cuillerées à soupe d'huile végétale

1,5 kg de bœuf à braiser, tel que poitrine ou jarret, coupé en dés de 5 cm.

3 cuillerées à soupe de pâte de curry Matsaman (ou de pâte de curry Madras)

225 g de petites pommes de terre nouvelles, pelées

3 cuillerées à soupe de cacahuètes grillées et broyées

1 poignée de feuilles de coriandre fraîche

Pour la sauce :

2 tiges de lemon-grass frais

1,2 l de lait de coco en conserve

60 cl d'eau chaude

3 cuillerées à soupe de sucre brun ou blanc

3 cuillerées à soupe de sauce de poisson *(nam pla)* ou de sauce de soja claire

2 cuillerées à soupe de jus de citron vert

2 cuillerées à café de pâte de crevettes

3 cuillerées à soupe d'échalotes émincées

2 bâtons de cannelle

6 cosses de cardamome

1/2 cuillerée à café de noix de muscade fraîchement râpée

4 feuilles de lime de Cafre ou 1 cuillerée à soupe de zeste coupé en fines lanières

1 Faites chauffer un wok et versez-y l'huile. Quand elle commence à fumer, mettez le bœuf et faites-le revenir 10 minutes, jusqu'à ce qu'il soit doré (vous devrez effectuer cette opération en deux ou trois fois, face par face).

2 Ne conservez que l'équivalent d'une cuillerée à soupe d'huile dans le wok. Replacez-y la viande, ajoutez la pâte de curry et faites-la revenir avec le bœuf environ 5 minutes. Transférez ce mélange dans une grande casserole.

3 Pour la sauce, pelez les tiges de lemon-grass jusqu'à ne conserver que la partie centrale. Coupez-la en morceaux de 7,5 cm et écrasez-les avec le plat d'un couteau à large lame, puis ajoutez-les dans la casserole avec tout le reste des ingrédients de la sauce. Portez à ébullition, retirez toute matière grasse de la surface et réglez le feu au plus bas. Couvrez et faites cuire pendant 1 heure.

4 Ajoutez les pommes de terre dans la casserole et faites cuire de nouveau pendant 30 minutes, ou jusqu'à ce que la viande soit très tendre. Puis retirez le couvercle, augmentez le feu et faites bouillir à gros bouillons environ 15 minutes de façon à réduire et à épaissir la sauce. Avant de servir, décorez avec les cacahuètes broyées et la coriandre.

Porc sauté au basilic

Ce plat familial simple, appelé *moo phad bai horapa*, est rapide et facile à préparer. La clé de son succès réside dans le basilic, dont la couleur verte très fraîche, l'arôme caractéristique et la saveur incomparable contribuent à faire de n'importe quel mets un plat typiquement thaï et unique. Servez accompagné de riz ou de nouilles avec un légume.

Pour 2 à 4 personnes
Préparation : 10 minutes
Cuisson : 10 minutes

1 1/2 cuillerée à soupe d'huile végétale

1 cuillerée à soupe de pâte de curry rouge

3 cuillerées à soupe d'ail grossièrement haché

3 cuillerées à soupe d'échalotes émincées

450 g de porc haché

2 cuillerées à soupe de sauce de poisson *(nam pla)*

3 cuillerées à soupe de lait de coco

2 cuillerées à café de sucre en poudre

1 très grosse poignée de feuilles de basilic frais, thaï ou ordinaire, haché

1 Faites chauffer à feu moyen un wok ou une grande poêle et versez-y l'huile. Quand elle est très chaude et commence à fumer, ajoutez la pâte de curry et faites-la cuire pendant 1 minute jusqu'à ce qu'elle commence à fondre.

2 Ajoutez l'ail et les échalotes et faites-les revenir 1 minute. Puis ajoutez le porc, et faites cuire à feu vif pendant 3 minutes.

3 Ajoutez la sauce de poisson, le lait de coco et le sucre, et faites cuire à feu vif pendant 3 minutes. Pour finir, ajoutez le basilic haché et faites cuire le tout 1 minute encore. Servez immédiatement.

Boulettes de viande parfumées

Quand on marche dans Bangkok, c'est un véritable plaisir de sentir flotter en permanence des arômes exotiques émanant des nombreux petits restaurants et des commerces ambulants qui bordent les grandes artères. Eh bien, ces boulettes de bœuf et de porc sont typiques de la nourriture vendue dans la rue en Thaïlande. Ce qui les rend si savoureuses, ce sont les épices qu'on incorpore dans la viande succulente et le blanc d'œuf qui leur confère une consistance légère et délicate. Très faciles à préparer, elles feront merveille à l'apéritif, mais on peut aussi les servir en plat de résistance, accompagnées d'autres mets. Leur nom thaïlandais est *look chin moo rue nuea*.

Pour 4 personnes
Préparation : 20 minutes
Cuisson : 8 minutes.

100 g de bœuf haché
100 g de porc haché
(pas trop mince)
1 blanc d'œuf
2 cuillerées à soupe d'eau
très froide
1 cuillerée à café de sel
1/2 cuillerée à café de poivre
noir fraîchement moulu
2 cuillerées à soupe d'ail
haché menu
3 cuillerées à soupe de
coriandre fraîche hachée
menu
2 cuillerées à soupe
d'oignons nouveaux
hachés menu
1 cuillerée à soupe de sauce
de poisson *(nam pla)*
2 cuillerées à café de sucre
en poudre
Farine ordinaire pour
le saupoudrage
45 cl d'huile végétale
pour la friture.

1 Réduisez le bœuf et le porc en purée dans un mixeur. Ajoutez lentement le blanc d'œuf et l'eau froide ; faites fonctionner le mixeur pendant quelques secondes encore, jusqu'à ce que ces derniers soient totalement incorporés dans la viande.

2 Ajoutez le reste des ingrédients, excepté la farine et l'huile végétale, et mixez pendant environ une minute jusqu'à obtenir une pâte légère.

Faites-les frire pendant 4 minutes, en réglant l'intensité du feu jusqu'à ce qu'elles soient croustillantes et grillées sur toutes leurs faces, et bien cuites à l'intérieur. Retirez-les à l'aide d'une écumoire et égouttez-les sur du papier absorbant. Servez immédiatement.

3 Travaillez la pâte de façon à constituer des boulettes d'environ 4 cm de diamètre. Saupoudrez-les également de farine, en retirant tout excédent. Ces boulettes seront très friables et tendres.

4 Faites chauffer à feu fort un wok et versez-y l'huile. Quand elle commence à fumer, placez dans le récipient autant de boulettes qu'il peut en contenir sans que vous soyez obligé de les superposer.

Poulet au curry vert

Le *Gaeng kheow wan gai* est l'un des plats thaïs les plus appréciés par les palais des Occidentaux ! La richesse du lait de coco alliée à la pâte de curry vert et au poulet est une combinaison gagnante ! Accompagné de riz à la vapeur, ce mets fera un plat principal tout à fait substantiel.

Pour 4 personnes
Préparation : 15 minutes
Cuisson : 20 minutes

450 g de cuisses de poulet désossées et sans la peau

2 tiges de lemon-grass frais

1 1/2 cuillerée d'huile végétale

2-3 cuillerées à soupe de pâte de curry vert

3 cuillerées à soupe d'échalotes émincées

3 cuillerées à soupe d'ail grossièrement haché

1 cuillerée à soupe de galanga ou de gingembre frais haché menu

4 feuilles de lime de Cafre ou 2 cuillerées à café de leur zeste coupé en lanières

1 cuillerée à café de sauce de poisson *(nam pla)*

2 cuillerées à café de sucre en poudre

1 cuillerée à café de sel

225 g d'aubergines thaïlandaises entières ou d'aubergines ordinaires coupées en gros morceaux de 2,5 cm

40 cl de lait de coco en conserve

3 cuillerées à soupe d'eau

1 petite poignée de feuilles de coriandre fraîche

1 grosse poignée de feuilles de basilic frais, thaï ou ordinaire.

1 Coupez le poulet en gros morceaux de 2,5 cm. Pelez les tiges de lemon-grass jusqu'à ne conserver que la partie centrale, tendre et blanche, et hachez-la menu.

2 Faites chauffer un wok ou une grande poêle jusqu'à ce que ce récipient soit très chaud, et versez-y l'huile. Mettez la pâte de curry vert à revenir pendant 2 minutes, puis ajoutez le poulet et mélangez jusqu'à ce qu'il soit enrobé de cette pâte.

3 Ajoutez le lemon-grass, les échalotes, l'ail, la galanga ou le gingembre, les feuilles ou le zeste de lime de Cafre, la sauce de poisson, le sucre et le sel, puis faites revenir le tout 1 minute encore.

4 Ajoutez les aubergines et incorporez le lait de coco et l'eau. Baissez le feu et laissez mijoter 15 minutes, ou jusqu'à ce que le poulet soit bien cuit à l'intérieur. Ajoutez la coriandre et les feuilles de basilic, mélangez bien et servez immédiatement.

Poulet au curry rouge

Ce *gaeng phed gai* est une version de poulet au curry légèrement différente de la précédente, puisque la pâte de curry
utilisée est rouge. Tout aussi délicieuse que la pâte de curry
vert, elle est peut-être moins connue en Occident. Vous serez
conquis par la riche saveur de ses arômes.

Pour 4 personnes
Préparation : 15 minutes
Cuisson : 20 minutes.

450 g de cuisses de poulet
désossées et sans la peau

2 tiges de lemon-grass frais

1 1/2 cuillerée à soupe d'huile
végétale

2-3 cuillerées à soupe de pâte
de curry rouge

225 g de petites pommes de
terre pelées

3 cuillerées à soupe
d'échalotes émincées

3 cuillerées à soupe d'ail
grossièrement haché

1 cuillerée à soupe de
galanga ou de gingembre
frais haché menu

4 feuilles de lime de Cafre ou
2 cuillerées à café de zeste
coupé en lanières

1 cuillerée à soupe de sauce
de poisson *(nam pla)*

2 cuillerées à café de sucre
en poudre

1 cuillerée à café de sel

40 cl de lait de coco en
conserve

3 cuillerées à soupe d'eau

1 grosse poignée de feuilles
de coriandre fraîche

50 g de cacahuètes grillées et
broyées

1 gros piment rouge frais,
épépiné et coupé en
lamelles.

1 Coupez le poulet en gros
morceaux de 2,5 cm. Pelez
les tiges de lemon-grass
jusqu'à ne conserver que la
partie centrale, tendre et
blanche, et hachez-la menu.

2 Faites chauffer un wok ou
une grande poêle jusqu'à ce
que ce récipient soit très
chaud, et versez-y l'huile.
Mettez la pâte de curry rouge
à revenir pendant 2 minutes,
puis ajoutez le poulet et
mélangez jusqu'à ce qu'il soit
enrobé de cette pâte.

3 Ajoutez le lemon-grass, les échalotes, l'ail, la galanga ou le gingembre, les feuilles ou le zeste de lime de Cafre, la sauce de poisson, le sucre et le sel, puis faites revenir 1 minute encore.

4 Incorporez le lait de coco et l'eau, baissez le feu et laissez mijoter 15 minutes, ou jusqu'à ce que le poulet soit bien cuit. Ajoutez la coriandre, remuez, décorez avec les cacahuètes et le piment. Servez immédiatement.

Poulet aux piments et au basilic

Ce plat traditionnel, appelé *gai phad bai krapao*, est très facile à préparer. La saveur unique, piquante, du basilic thaï, le rend particulièrement alléchant.

Pour 4 personnes
Préparation : 10 minutes
Cuisson : 20 minutes.

450 g de cuisses de poulet désossées et sans la peau

2 cuillerées à soupe d'huile végétale

3 cuillerées à soupe d'échalotes émincées

3 cuillerées à soupe d'ail grossièrement haché

3 piments thaïs verts ou rouges frais, épépinés et coupés en fines lamelles

2 cuillerées à soupe de sauce de poisson *(nam pla)*

2 cuillerées à café de sauce de soja noire

2 cuillerées à café de sucre en poudre

1 grosse poignée de feuilles de basilic thaï ou ordinaire

1 Coupez le poulet en gros morceaux de 2,5 cm. Faites chauffer un wok jusqu'à ce que ce récipient soit très chaud, puis versez-y une cuillerée à soupe d'huile. Quand elle est très chaude, ajoutez les morceaux de poulet et faites-les dorer sur toutes leurs faces à feu très vif pendant 8 minutes. Avec une écumoire, transférez-les dans une passoire.

2 Remettez le wok à chauffer et ajoutez l'autre cuillerée d'huile. Ajoutez en remuant les échalotes et l'ail, et faites-les revenir 3 minutes jusqu'à ce qu'ils soient bien dorés.

3 Replacez le poulet dans le wok et ajoutez les piments, la sauce de poisson, la sauce de soja noire et le sucre. Faites-les revenir à feu fort pendant 8 minutes. Ajoutez en remuant les feuilles de basilic et servez immédiatement.

Poulet grillé

Les rues thaïlandaises sont pleines d'arômes d'aliments grillés et fumés. L'un des plats les plus populaires est le *gai yang*, une version savoureuse du poulet au barbecue. On le confectionne avec des cuisses de poulet : elles contiennent non seulement plus de viande que les blancs, mais conservent leur tendreté même si la chaleur du grill est intense. Le secret est de faire mariner le poulet toute une nuit ; après cela, le reste est très facile. Voici un plat dont vous vous souviendrez.

Pour 4 personnes
Préparation : 10 minutes,
   plus une nuit pour la marinade
Cuisson : 20 minutes

900 g de cuisses de poulet
   non désossées

1 poignée de brins de
   coriandre fraîche

Pour la marinade :

2 cuillerées à soupe de sauce
   de poisson *(nam pla)*

3 cuillerées à soupe d'ail
   grossièrement haché

3 cuillerées à soupe de
   coriandre fraîche hachée

2 petits piments thaïs rouges
   ou verts, frais, épépinés et
   hachés

4 feuilles de lime de Cafre
   ou une 1 cuillerée à soupe
   de leur jus

2 cuillerées à café de sucre
   en poudre

1 cuillerée à soupe de vin
   de riz de Shaoxing
   ou de xérès sec

1 cuillerée à café de curcuma
   moulu

2 cuillerées à café de pâte
   de curry rouge

1 cuillerée à café de sel

1/2 cuillerée à café de poivre
   noir fraîchement moulu

4 cuillerées à soupe de lait
   de coco en conserve

1 Dans un mixeur, réduisez en purée tous les ingrédients de la marinade (ou broyez-les dans un mortier à l'aide d'un pilon).

2 Essuyez le poulet sur du papier absorbant. Mettez-le dans une jatte, ajoutez la marinade et mélangez bien. Recouvrez de film transparent et laissez mariner toute la nuit au réfrigérateur. Le lendemain, laissez reposer le poulet à température ambiante pendant 40 minutes avant de le faire cuire. Allumez un barbecue ou préchauffez le gril à température élevée. Faites griller les cuisses des deux côtés pendant 10 minutes, ou jusqu'à ce qu'elles soient bien cuites.

3 Transférez-les sur un plat,
décorez avec les brins de
coriandre et servez
immédiatement, ou laissez
refroidir un peu et servez à
température ambiante.

Poulet aux feuilles de pandanus

Voici une de mes recettes thaïes préférées, appelée *gai hor bai toey*. Ce plat sera idéal si vous recevez beaucoup d'invités. Les feuilles de pandanus, semblables aux feuilles de bambou, s'achètent dans certains supermarchés chinois et asiatiques. Si vous n'en trouvez pas, utilisez du papier aluminium.

Pour 4 à 6 personnes
Préparation : 40 minutes,
    plus une nuit pour la marinade
Cuisson : 30 minutes.

450g de cuisses de poulet désossées et sans la peau

40 feuilles de pandanus coupées en carrés de 12,5 cm

60 cl d'huile végétale pour la friture

Pour la marinade :

2 cuillerées à soupe de sauce de soja claire

3 cuillerées à soupe d'ail grossièrement haché

2 cuillerées à soupe de sauce d'huître

2 cuillerées à café de sucre en poudre

2 cuillerées à soupe de racines de coriandre ou de coriandre fraîche hachée menu

1 cuillerée à soupe de sauce de poisson *(nam pla)*

2 cuillerées à café d'huile de sésame

1/2 cuillerée à café de poivre noir fraîchement moulu

Pour la sauce :

2,5 cl de vinaigre de riz blanc ou de vinaigre de cidre

2 cuillerées à soupe de sauce de soja noire

2 cuillerées à café de sucre en poudre

2 cuillerées à café de graines de sésame grillées

1 petit piment thaï rouge, frais, épépiné et haché.

1 Mettez tous les ingrédients de la marinade dans un mixeur et réduisez-les en une purée lisse.

2 Coupez le poulet en bouchées. Placez-les dans une jatte, ajoutez la marinade et mélangez bien. Recouvrez de film transparent et laissez mariner toute la nuit au réfrigérateur.

3 Sortez le poulet du réfrigérateur au moment de le faire cuire, et enroulez une bouchée dans chaque feuille de pandanus (ou dans chaque carré de feuille).

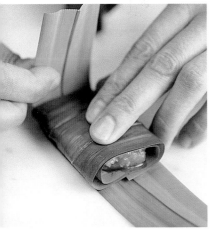

4 Si vos feuilles sont petites, utilisez-en deux par bouchée, en les superposant. Nouez chaque petit « paquet » ainsi confectionné avec un bout de ficelle, ou fermez à l'aide d'une brochette en bambou.

5 Mettez tous les ingrédients de la sauce dans un bol, mélangez-les à l'aide d'un fouet, et mettez de côté.

6 Faites chauffer un wok. très fort, versez-y l'huile végétale. Lorsqu'elle commence à fumer, faites revenir 5 par 5 les bouchées pendant 4 minutes, jusqu'à ce qu'elles soient bien cuites. Égouttez-les sur du papier absorbant et conservez-les au chaud. Faites frire les autres bouchées. Servez tout de suite avec la sauce.

LÉGUMES et GARNITURES

Légumes sautés

Cette recette vous propose d'utiliser certains légumes, mais vous pouvez, bien entendu, en choisir d'autres que vous préférez. Les plus fermes nécessitant un temps de cuisson plus long, n'oubliez pas de les faire cuire en premier. Le nom thaïlandais de ce plat est *phad phag ruam mit*.

Pour 4 personnes
Préparation : 15 minutes
Cuisson : 10 minutes.

225 g de brocolis

225 g d'asperges

225 g de chou chinois

225 g de jeunes épis de maïs frais ou en conserve

2 cuillerées à soupe d'huile végétale

3 cuillerées à soupe d'ail émincé

3 cuillerées à soupe d'échalotes émincées

2 petits piments thaïs rouges, frais, épépinés et coupés en lamelles

1 1/2 cuillerée à soupe de sauce de poisson *(nam pla)*

2 cuillerées à soupe de sauce d'huître

2 cuillerées à café de sucre en poudre
1 cuillerée à café de sel

3 Faites chauffer à feu fort un wok ou une grande poêle jusqu'à ce que ce récipient soit modérément chaud. Mettez-y l'huile et l'ail, et faites revenir ce dernier pendant 1 minute-1 minute 1/2 jusqu'à ce qu'il soit bien doré. Retirez-le à l'aide d'une écumoire et égouttez-le sur du papier absorbant. Mettez les échalotes et les piments dans le wok, et faites-les sauter 1 minute.

1 Séparez les brocolis en bouquets. Pelez les tiges et coupez-les en fines lamelles en diagonale. Débarrassez les asperges de leurs extrémités rugueuses, puis coupez-les dans le sens de la longueur en morceaux de 4 cm.

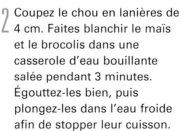

2 Coupez le chou en lanières de 4 cm. Faites blanchir le maïs et le brocolis dans une casserole d'eau bouillante salée pendant 3 minutes. Égouttez-les bien, puis plongez-les dans l'eau froide afin de stopper leur cuisson.

5 Ajoutez les brocolis et
le chou chinois, ainsi que
la sauce d'huître, le sucre et
le sel. Poursuivez la cuisson
à feu vif pendant 3 minutes
ou jusqu'à ce que les
légumes soient tendres.
Transférez sur un plat,
décorez avec l'ail sauté et
servez immédiatement.

4 Ajoutez le maïs et les
asperges, et faites-les cuire
pendant 30 secondes.
Incorporez la sauce de
poisson et portez ce mélange
à ébullition, puis couvrez
et faites cuire 2 minutes
à feu très vif.

Aubergines aigres-douces

Facile à réaliser, ce plat, appelé *yam makhua*, accompagnera à merveille n'importe quel mets. Si vous remplacez la sauce de poisson par de la sauce de soja claire, il conviendra parfaitement aux végétariens.

Pour 2-4 personnes
Préparation : 15 minutes, laisser égoutter 30 minutes au moins
Cuisson : 30 à 40 minutes

450 g d'aubergines

3 cuillerées à soupe d'échalotes émincées

2 cuillerées à soupe de sauce de poisson *(nam pla)* ou de sauce de soja claire

2 cuillerées à soupe de jus de citron vert

1 cuillerée à soupe de sucre en poudre

1 poignée de feuilles de coriandre fraîche

1 Préchauffez le four à 240° C (thermostat 9). À l'aide d'un couteau pointu, piquez la peau des aubergines. Disposez-les dans un plat allant au four et faites-les cuire 30 à 40 minutes jusqu'à ce qu'elles soient ramollies. Laissez refroidir.

2 Pelez les aubergines, puis laissez-les égoutter dans une passoire pendant au moins 30 minutes. Coupez-les en dés et placez-les dans un saladier (vous pouvez faire tout cela plusieurs heures à l'avance).

3 Mettez les échalotes, la sauce de poisson ou de soja, le jus de citron vert et le sucre dans une casserole et portez à ébullition. Versez cette sauce sur les aubergines et mélangez bien. Décorez avec les feuilles de coriandre et servez.

Riz sauté

On trouve du riz sauté partout en Thaïlande. Fréquemment servi surmonté d'un œuf frit, il constitue ainsi un repas à part entière. Son nom thaïlandais est *khao phad ruam mit*.

Pour 4 à 6 personnes
Préparation : 15 minutes,
    plus 2 heures de préparation à
l'avance pour le riz
Cuisson : 10 minutes

40 cl de riz blanc long grain

2 œufs battus

2 cuillerées à café d'huile de
    sésame

1/2 cuillerée à café de sel

225 g de blancs de poulet

2 cuillerées à soupe d'huile
    végétale

2 cuillerées à soupe d'ail
    grossièrement écrasé

1 petit oignon émincé

1/2 cuillerée de poivre noir
    fraîchement moulu

3 cuillerées à soupe de sauce
    de poisson *(nam pla)*

3 cuillerées à soupe
    d'oignons nouveaux
    émincés

3 cuillerées à soupe de
    coriandre fraîche hachée
    menu

2 petits piments thaïs rouges
    ou verts, frais, épépinés
    et hachés

Pour décorer :

1 citron vert coupé en
    quartiers

4 œufs frits (facultatif)

1 Au moins 2 heures à l'avance, ou la veille au soir, faites cuire le riz en suivant la recette de la page 17. Répartissez-le sur une plaque de four et laissez-le refroidir complètement, puis mettez-le au réfrigérateur.

2 Battez les œufs avec l'huile de sésame et le sel, et mettez de côté. Coupez le poulet en dés d'1 cm.

3 Faites chauffer à feu fort un
wok ou une grande poêle,
et versez-y l'huile. Quand elle
commence à fumer, mettez
l'ail, l'oignon et le poivre noir,
et faites revenir pendant
2 minutes. Puis ajoutez le
poulet et faites cuire 2 minutes
encore. Ajoutez le riz cuit,
froid, et continuez à faire cuire
pendant 3 minutes.

4 Ajoutez la sauce de poisson,
les oignons nouveaux,
la coriandre et les piments,
et faites cuire pendant
2 minutes.

5 Pour finir, ajoutez le mélange
à base d'œufs battus et
continuez à faire cuire
pendant 1 minute. Transférez
sur un plat, décorez avec les
quartiers de citron et les œufs
frits, si vous en incluez dans
votre préparation, et servez
immédiatement.

Riz végétarien frit

Le bouddhisme occupe une place importante dans la culture thaïe. Ainsi, pendant une semaine, à l'automne, les Thaïs ne mangent que des légumes afin de purifier leur corps et leur âme. Ce Khao phad jay est un plat typiquement végétarien que l'on consomme au cours de cette célébration.

Pour 4 à 6 personnes
Préparation : 15 minutes,
    plus 2 heures de préparation à l'avance (au moins) pour le riz
Cuisson : 12 minutes

40 cl de riz blanc long grain

2 cuillerées à soupe d'huile végétale

3 cuillerées à soupe d'ail grossièrement écrasé

1 petit oignon émincé

1/2 cuillerée à café de poivre noir fraîchement moulu

175 g de haricots à rames ou de haricots verts coupés en dés

100 g de maïs frais ou surgelé

2 cuillerées à soupe de sauce de soja claire

2 cuillerées à soupe de pâte de curry vert

Pour décorer :

3 oignons nouveaux

1 concombre

1 citron vert

1 Au moins 2 heures à l'avance, ou la veille au soir, faites cuire le riz en suivant les recommandations de la page 17. Répartissez-le sur une plaque de four et laissez-le refroidir complètement, puis mettez-le au réfrigérateur.

2 Préparez la décoration : coupez, en diagonale, les oignons en lamelles de 2,5 cm de longueur. Pelez le concombre, puis coupez-le en deux dans le sens de la longueur, et retirez les pépins avec une cuillère à café. Coupez-le en fines tranches. Coupez le citron vert en quartiers. Mettez de côté.

3 Faites chauffer à feu fort un wok ou une grande poêle et versez-y l'huile. Quand elle commence à fumer, mettez l'ail, l'oignon et le poivre noir, et faites-les revenir pendant 2 minutes. Puis ajoutez les haricots et le maïs, et continuez à faire revenir pendant 3 minutes.

4 Ajoutez le riz froid et faites sauter pendant 5 minutes. Pour finir, ajoutez la sauce de soja claire et la pâte de curry, et faites cuire pendant 2 minutes. Transférez sur un plat, décorez avec les oignons nouveaux, les tranches de concombre et les quartiers de citron vert, et servez.

Riz au lait de coco

Pour un vrai festin végétarien, ce plat de riz riche, appelé *khao mun,* est parfois servi accompagné d'une salade de papaye verte épicée (voir recette page 40).

(voir recette page 40)

40 cl de riz blanc long grain

40 cl de lait de coco en conserve

30 cl d'eau

1/2 cuillerée à café de sel

1 cuillerée à café de sucre en poudre

Pour 4 personnes
Préparation : 5 minutes,
   plus 10 minutes pour laisser
   reposer le riz
Cuisson : 15 minutes

1 Placez le riz dans une jatte et lavez-le dans plusieurs bains jusqu'à ce que l'eau soit complètement claire.

2 Étuvez le riz et mettez-le dans une grande casserole à fond épais avec le lait de coco, l'eau, le sel et le sucre. Portez à ébullition, puis réglez le feu aussi bas que possible, couvrez la casserole et laissez cuire le riz 15 minutes, sans le remuer ni ôter le couvercle.

3 Retirez la casserole du feu. Laissez reposer le riz, couvert, pendant 10 minutes, puis servez. Vous remarquerez qu'il est légèrement doré sur le dessous – ce qui est tout à fait normal, et a un goût délicieux.

Riz au poulet sauté au basilic

Le riz sauté sous toutes ses formes est un des mets favoris en Thaïlande. Ce *Kao phad gai horapa* en est l'une des versions les plus répandues ; à base de poulet et de basilic odorant, il est facile à préparer. Si possible, employez du riz jasmin thaï, car son arôme ajoute vraiment à la saveur du plat.

Pour 4 à 6 personnes
Préparation : 15 minutes,
    plus 2 heures de préparation
à l'avance (au moins) pour le riz
Cuisson : 10 minutes

40 cl de riz jasmin thaï ou
    de riz blanc long grain

225 g de blancs de poulet

2 cuillerées à soupe
    d'huile végétale

3 cuillerées à soupe
    d'ail émincé

1 petit oignon haché menu

3 cuillerées à soupe
    d'échalotes émincées

100 g de gros piments rouges
    frais, épépinés et coupés
    en lamelles

2 cuillerées à café de sel

1/2 cuillerée à café de poivre
    noir fraîchement moulu

2 cuillerées à café de sucre
    en poudre

1 cuillerée à soupe de sauce
    de poisson *(nam pla)*

1 poignée de feuilles
    de basilic frais, thaï
    ou ordinaire

3 cuillerées à soupe
    d'oignons nouveaux
    émincés

1 Au moins 2 heures à l'avance, ou la veille au soir, faites cuire le riz selon les instructions de la page 17. Disposez-le sur une plaque de four et laissez-le refroidir complètement, puis mettez-le au réfrigérateur.

2 Coupez le poulet en lamelles et mettez-les de côté. Faites chauffer à feu fort un wok ou une grande poêle et versez-y l'huile. Quand elle commence à fumer, ajoutez l'ail, l'oignon, les échalotes, les piments, le sel et le poivre noir, et faites revenir pendant 2 minutes.

3 Ajoutez le poulet et faites-le revenir 2 minutes, puis ajoutez le riz et continuez à faire cuire pendant 3 minutes. Incorporez le sucre et la sauce de poisson, et faites cuire pendant 2 minutes.

4 Pour finir, ajoutez les feuilles de basilic et faites cuire 1 minute encore. Transférez le tout sur un plat, décorez avec les oignons nouveaux et servez chaud ou laissez refroidir et servez comme salade.

Vermicelles de riz sautés aux crevettes

Le *Phad Thai* est sans doute l'un des plats les plus célèbres en Thaïlande ; on le sert dans tous les foyers du pays, mais il s'achète aussi chez les marchands ambulants qui abondent dans les rues. Il marie les saveurs fondamentales de la cuisine thaïe, douce, aigre, forte et épicée.
Ajoutez la décoration juste avant de servir.

Pour 4 personnes
Préparation : 25 minutes,
plus 25 minutes d'étuve du riz
Cuisson : 10 minutes

225 g de vermicelles de riz épais séchés

3 cuillerées à soupe d'huile végétale

450 g de crevettes crues, décortiquées et débarrassées de leur nervure centrale

3 cuillerées à soupe d'ail coupé en morceaux grossiers

3 cuillerées à soupe d'échalotes émincées

2 gros piments verts ou rouges, frais, épépinés et coupés

2 œufs battus

2 cuillerées à soupe de jus de citron vert

3 cuillerées à soupe de sauce de poisson *(nam pla)*

1 cuillerée à soupe de sauce aigre-douce

1 cuillerée à café de sucre en poudre

1/2 cuillerée à café de poivre noir fraîchement moulu

175 g de germes de soja

Pour décorer :

1 citron vert coupé en quartiers

3 cuillerées à soupe de coriandre fraîche grossièrement hachée

3 oignons nouveaux émincés

3 cuillerées à soupe de cacahuètes grillées grossièrement broyées

1 cuillerée à café de flocons de piments séchés

1 Faites tremper 25 minutes les vermicelles de riz dans un récipient d'eau chaude, puis égouttez-les à l'aide d'une passoire ou d'un tamis.

2 Faites chauffer à feu fort un wok. Quand ce récipient est très chaud, versez-y l'huile végétale. Lorsque l'huile commence à fumer, mettez-y les crevettes et faites-les sauter environ 2 minutes. Retirez-les du wok ou de la poêle, et réservez.

3 Remettez le wok à chauffer, ajoutez le reste de l'huile, puis l'ail, les échalotes et les piments, et faites revenir pendant 1 minute. Ajoutez les vermicelles égouttés et faites sauter une minute encore. Pour finir, incorporez les œufs battus, le jus de citron vert, la sauce de poisson, la sauce de piments, le sucre et le poivre noir, et continuez à faire cuire 3 minutes.

4 Remettez les crevettes dans le wok, ajoutez le soja, et faites cuire pendant 2 minutes. Transférez sur un plat, décorez avec le citron, la coriandre, les oignons, les cacahuètes et les piments séchés, et servez.

Salade de vermicelles épicée

Cette *Yam Woon sen* compte parmi les nombreux délices culinaires que l'on trouve sur les marchés nocturnes dans toute la Thaïlande. On la prépare dans un wok en quelques minutes seulement. Ce plat savoureux est souvent servi à température ambiante.

Pour 4 personnes
Préparation : 10 minutes,
    plus 25 minutes pour faire
    tremper les vermicelles
Cuisson : 8 minutes

225 g de nouilles de riz plates, de vermicelles de riz ou de bâtonnets de riz

1 cuillerée à soupe d'huile végétale

3 cuillerées à soupe de crevettes séchées, coupées

3 cuillerées à soupe d'ail émincé

3 cuillerées à soupe d'échalotes émincées

225 g de porc haché

3 cuillerées à soupe de sauce de poisson *(nam pla)*

1 cuillerée à soupe de sucre en poudre

3 cuillerées à soupe de jus de citron vert

3 ou 4 petits piments thaïs rouges ou verts frais, épépinés et hachés

Sel et poivre noir fraîchement moulu pour relever

Pour décorer :

50 g de cacahuètes grillées écrasées

Quelques brins de coriandre fraîche

1 Faites tremper les vermicelles de riz 25 minutes dans un récipient d'eau chaude, puis égouttez-les à l'aide d'une passoire ou d'un tamis.

2 Dans un wok très chaud, versez l'huile végétale. Quand elle commence à fumer, mettez les crevettes et l'ail, et faites revenir pendant 1 minute, jusqu'à ce que tout soit bien doré. Puis ajoutez les échalotes et le porc, et faites sauter 3 minutes.

3 Ajoutez la sauce de poisson, le sucre, le jus de citron vert, les piments, le sel, le poivre, et les nouilles. Faites cuire 3 à 4 minutes. Disposez sur un grand plat et garnissez avec les ingrédients destinés à la décoration. Servez chaud ou à température ambiante.

Salade de pois de Nouvelle-Guinée

Les Thaïs apprécient une variété de haricots exotiques qu'on appelle « pois de Nouvelle-Guinée ». Dans cette recette, *yam thua fug yao*, les pois sont blanchis puis mélangés à un assaisonnement aromatique ; on obtient ainsi un plat délicieux, à servir en accompagnement des currys. Si vous ne pouvez vous procurer de pois de Nouvelle-Guinée, remplacez-les par des haricots à rames ou des haricots verts.

Pour 2 à 4 personnes
Préparation : 15 minutes
Cuisson : 15 minutes

450 g de pois de Nouvelle-Guinée ou de haricots à rames, coupés s'ils sont longs, ou de haricots verts.

2 petits piments thaïs rouges ou verts, frais, épépinés et hachés

2 cuillerées à café de sucre en poudre

2 cuillerées à soupe de jus de citron vert

2 cuillerées à soupe de sauce de poisson *(nam pla)* ou de sauce de soja claire

20 cl de lait de coco en conserve

5 cuillerées à soupe d'échalotes émincées

3 cuillerées à soupe de cacahuètes grillées écrasées

2 cuillerées à soupe de noix de coco séchée et grillée

1 Faites blanchir 3 minutes les pois ou les haricots dans une grande casserole d'eau salée, puis égouttez-les et plongez-les immédiatement dans l'eau froide. Égouttez-les à nouveau avec soin et mettez-les de côté.

2 Mettez les piments, le sucre, le jus de citron vert, la sauce de poisson ou la sauce de soja et le lait de coco dans un saladier et mélangez bien.

3 Incorporez à ce mélange les pois ou les haricots blanchis et les échalotes. Décorez avec les cacahuètes et la noix de coco séchée, et servez.

Fèves sautées au curry rouge

Fondantes et succulentes, les fèves sont un des légumes les plus prisés en Asie. En Thaïlande, on les fait cuire avec de la pâte de curry rouge, ce qui leur confère une saveur riche et rafraîchissante sans masquer leurs qualités propres. Appelé *thua pak-a-phad prig daeng*, ce plat accompagnera à merveille un plat principal ou sera une entrée parfaite dans un repas végétarien. Il est, bien sûr, préférable de consommer ces fèves fraîches, mais des fèves surgelées feront un substitut très acceptable (dans ce cas, leur peau est déjà enlevée).

> Pour 2 à 4 personnes
> Préparation : 25 minutes
> Cuisson : 5 minutes

900 g de fèves fraîches (poids correspondant à des fèves non écossées) ou 350 g de fèves surgelées.

1 cuillerée à soupe d'huile végétale

3 cuillerées à soupe d'ail émincé

3 cuillerées à soupe d'échalotes émincées

2 petits piments thaïs rouges, frais, épépinés et coupés en lamelles

Poivre noir fraîchement moulu à volonté

2 cuillerées à café de sucre en poudre

2 cuillerées à café de pâte de curry rouge

1 cuillerée à soupe de sauce de poisson *(nam pla)* ou de sauce de soja claire

2 cuillerées à soupe d'eau

1 Ecossez les fèves, blanchissez-les 2 minutes dans une grande casserole d'eau bouillante salée. Egouttez-les, passez-les sous l'eau froide pour les rafraîchir, et égouttez-les de nouveau. Quand elles ont refroidi, pelez-les. Si vous utilisez des fèves surgelées, faites-les juste décongeler.

2 Faites chauffer à feu fort un wok ou une grande poêle, et versez-y l'huile. Quand elle commence à fumer, ajoutez l'ail, les échalotes, les piments et le poivre noir, et faites cuire pendant 1 minute.

3 Ajoutez les fèves, le sucre,
la pâte de curry rouge, la
sauce de poisson et l'eau, et
continuez à faire cuire à feu
fort pendant 2 minutes.
Servez immédiatement.

Menus

Nombre de Thaïlandais étant d'origine chinoise, un repas thaï est une combinaison de plats d'inspiration thaïe et chinoise. Ainsi un menu typiquement thaï se composera-t-il de viande sautée et de plats de légumes et de nouilles accompagnés de currys thaïs très épicés, de salades rafraîchissantes et d'une grande variété de sauces. Vous trouverez ci-dessous quelques suggestions pour combiner les plats décrits dans ce livre :

Dîner familial

Soupe du Nord au poulet et aux nouilles
(*khao soi*)

Clams braisés aux piments et au basilic
(*hoy lai phad prik*)

Salade de vermicelles épicée
(*yam woon sen*)

Repas rapide et facile

Salade de pomélo épicée
(*yam som-o*)

Porc sauté au basilic
(*moo phad bai orapa*)

Riz au lait de coco
(*khao mun*)

Authentique repas thaï

Soupe piquante aux crevettes
(*tom yam ghoong*)

Crevettes au curry vert
(*gaeng kheow wan ghoong*)

Poisson frit à la salade de mangue
(*pla samlee thod krob gub yam mamuang*)

Riz sauté
(*khao phad ruam mit*)

Cocktail thaï

Rouleaux de printemps
(*poh piah tod*)

Beignets de poisson épicés
(*thod mun pla*)

Beignets de maïs
(*tod mun khao phod*)

Raviolis chinois à la sauce de piments
(*kiew grob thai*)

Dîner estival

Salade de papaye verte épicée
(*som tam*)

Poulet grillé
(*gai yang*)

Moules à la noix de coco
(*hoy malaeng pooh gathi*)

Festin végétarien

Soupe au riz
(*kao tom – avec des légumes*)

Légumes sautés
(*phad phag ruam mit*)

Aubergines aigres-douces
(*yam makhua*)

Riz végétarien frit
(*khao phad jay*)

Repas rapide dans la rue

Vermicelles de riz sautés aux crevettes
(*phad thai*)

Poulet aux feuilles de pandanus
(*gai hor bai* toey)

Dîner hivernal

Soupe de poulet au coco
(*tom kha gai*)

Bœuf au curry Matsaman
(*mussaman nuea*)

ou Poulet au curry vert
(*gaeng kheow wan gai*)

Riz à la vapeur

Pour les amateurs de fruits de mer

Crevettes frites
(*ghoong thod*)

Fruits de mer au lait de coco
(*hor mok talay*)

Poisson à la sauce pimentée
(*chuchi pla nuea orn*)

Riz à la vapeur

Index

Remerciements

Quand Viv Bowler, de BBC Books, m'interrogea sur le prochain ouvrage que je souhaitais publier, je lui répondis que je pensais revenir au B.A.-BA de la cuisine asiatique avec un livre intitulé *La Vraie Cuisine chinoise toute simple*. Percevant immédiatement le potentiel d'un tel ouvrage, elle me demanda si je pourrais en consacrer un à la cuisine thaïe. C'est elle qui m'a inspiré ce livre ; il est donc naturel que mes remerciements lui soient d'abord adressés.
Je remercie ensuite Gordon Wing, qui a testé patiemment chaque recette, pour ses conseils judicieux et la pertinence de ses

suggestions ; elles ont permis de modifier les recettes afin de les améliorer. Je n'oublie pas, bien sûr, toute l'équipe de BBC Books, qui a fourni un travail considérable sur ce livre et contribué si gentiment à son élaboration : Robin Wood, mon éditrice ; Sarah Lavelle, la responsable éditoriale ; Jane Middleton, la secrétaire d'édition ; Vicki Print, l'efficace assistante de Viv ; et Lisa Pettibone, la directrice artistique la plus créative et la plus imaginative qui soit. Je les salue toutes bien bas. Ma reconnaissance va également à Jean Cazals, pour sa créativité et son remarquable travail de photographe ; et enfin, bien sûr, à Carol Blake, mon agent littéraire et mon amie, à laquelle j'adresse mes remerciements et ma gratitude.